鏡の中のアメリカ

分断社会に映る日本の自画像

The shadow of America in a mirror

Senzaki Akinaka

先崎彰容

AKISHOBO

装幀　芦澤泰偉

本文デザイン　児崎雅淑
（芦澤泰偉事務所）

Tokyo, Haneda, August 19, 2019

週明け月曜日、八月一九日。

薄曇りの東京は、一八時を過ぎると、もう夜の帳がおりている。

ここ数日の猛烈な酷暑と、お盆休みの雑踏が一段落した羽田国際ターミナルは、うそのように人影もまばらで静かだ。

酷暑以上にきつい湿気からも解放された空港内は、とても居心地がよい。二階のカフェテリアで仕事をするビジネスマンも、まだどことなく仕事始めの穏やかさがあり、パソコンのキーボードを叩く音にもいら立ちがない。

これから一か月強、僕はサンフランシスコを皮切りに、ワシントンＤＣで講演を行い、さらにシカゴに滞在のうえ、サンフランシスコまで鉄道をつかって帰ってくる。アメリカ大陸横断の旅にでるのだ。来年に二度目のオリンピックを控え、新元号が「令和」に変わった日本で、一か月の米国滞在など全く珍しいものではないだろう。それは十分にわかっている。

だが僕にとって、大学から与えられた短期サバティカル（短期研究滞在）は、単なる〝一か月〟ではなかった。少し比喩的な言い方をすれば、今度の米国行きは、ながい妊娠期間を経ての出産に似ている。二〇年以上ものあいだ、近代日本思想の勉強をしていると、否応なく「アメリカの影」に出会う。たとえばペリー来航で、本格的なアメリカとの接触を経験した日本は、明治四年（一八七一）には岩倉具視を全権とする使節団を派遣する。その最初の訪問地はサンフランシスコだった。廃藩置県という国内最大の課題を解決して早々、大挙して政府中枢が日本を空けるのは異様なことだった。「留守政府」として知られる残留組は、西郷隆盛であり、板垣退助や大隈重信らであった。使節団が一年以上にわたる視察を終えて帰国すると、教科書で習う「明治六年政変」すなわち征韓論争がはじまる。それは欧米を実見したものと、見ないものとの間で戦わされた国家像をめぐる争いだったといわれている。

こうした歴史の話は、のちにゆっくりとする。

ここではアメリカと日本との関係が「近代」のはじまりだとわかってもらえれば十分だ。近代日本を知ることは、西洋の制度・思想との対決と葛藤の歴史を学ぶことだし、とりわけ、アメリカを常に意識することである。だから日本を問いつづけている人間がアメリカを訪れ、そこで自己主張することは、ある時期から必然に思われた。今年二〇一九年の酷暑、いよいよその機が熟した。

だから僕は、長い妊娠の期間を経て、自分なりの日本とアメリカとの関係を産み出そうとしている。それは出産という性的な比喩が似つかわしいほど、複雑で困難をともなうだろう。出発がお盆の余韻を残す薄暮の羽田からはじまることも、とても似つかわしく思われた。

台風の余波で、強い風と小雨模様の出発となった。

機内は満席だったが、思っていたよりもエコノミー席が快適なのに驚く。なにせ国際線に乗るのは、大学院時代の二〇〇六年、パリに一年間留学して以来だから、わからないことも多いのだ。三〇歳になったばかりの時に行ったフランス留学生活は、非常に充実したものだった。日本思想が専門なのに、果敢に長期フランス滞在を希望したのには理由があった。一九九五年、大学に入学したころ、大学の人文系書籍コーナーを席捲していたのは、大別して二つのジャンルだった。

一つは、フランス現代思想研究と、その理論を日本の社会現象に応用する多数の社会学者たちの姿であった。彼らは、現地フランスまで飛んで、デリダやレヴィナスといった哲学者の草稿やノートまで丹念に調べあげ、精緻な論文の作成に余念がなかった。その成果を持ち帰り、紹介する。フランスの思想家たちの鮮やかな分析手法を参考に、日本の社会現象や教育制度を批判するおびただしい社会学者の著作が生まれる。こうした流行は、なぜ起きるのか。日本特殊の現象なのか。それともフランスやアメリカ含めた世界中の趨勢なのか。

二〇一九年お盆明けの羽田空港

そもそも留学から帰国後、日本で教鞭をとるはずの日本人は、現地フランスでどのような生活をし、何を学ぼうとしているのか。日本思想を学ぶ僕からすれば、フランス思想はもちろん、それを学ぼうとしている日本人の姿、さらに諸外国から「大国フランス」に集まる留学生の姿を見ること自体に、とても魅力を感じたのである。

もう一つに「国境」への徹底的違和感を表明する思想が、九〇年代後半の日本を席捲していた。国境を画定し、内と外を峻別することは、マイノリティの権利と居場所を奪うとされていた。つまり国境という同一化・集団化を拒絶する身振りを取ることこそが、もう一つの流行を形成していた。

なかでも印象的だったのは、丸山眞男の評価である。丸山が戦後を代表するリベラル派知識人として活躍したことを知る人は多いだろう。だが、九〇年代後半の日本では、状況はいささか異なっていた。論文「超国家主義の論理と心理」以来、日本の前近代性を批判してきた丸山は、九〇年代に入ると、保守側だけでなく左派からも評判が悪くなった。なぜなら戦前日本を批判する丸山は、戦後、「健全な国民国家」をつくることに腐心したのであって、国家の存在自体は自明視している。だから彼は「限界のある思想家」なのだ――。

学生時代とは、人みな多感なものである。大学生の僕には、周囲が「解体」の大合唱で埋め尽くされているように思われた。九〇年代は国境であれ国家であれ、一切は解体されるべきもの、溶解し、あいまいにすること、流動性が「思想」だと見なされていた。僕はその雰囲気に、激しく反撥したのである。

それは思想的課題である前に、家庭環境のせいだったのかもしれない。思想書で頭をいっぱいにした教員や大学院生たちの口から吐かれる移動、脱中心化、根拠を持たないことへの称賛は、少なくとも僕の生き方の方針を変えるだけの説得力を欠いていた。正業に就かず、しかも引越しを繰り返す父のもとに生まれ、貧乏の辛酸を舐めた僕にとって、移動や無根拠を肯定することはあり得なかった。人間は明日もまた、おおよそ同じ生活を営み、同じ価格のモノを買えると思えばこそ、「自由」な発想ができるものだ。つまり生の基盤があってこそ、旅行による移動も無根拠な博打も面白味がでるものである。人生それ自体が博打のような僕に、これ以上の不安定は不必要であった。無根拠と移動がもたらす悲惨は、ユダヤ人の悲劇一つとってもわかるではないか。その悲惨をどう肯定すべきかにユダヤ人哲学者の筆は費やされているのであって、彼らの思想は不可避に民族の記憶とふかく結びついている。大学で定職を得て給与なるものをもらいつつ、酒臭い息をしてフランス思想をふりかざす大学教員に、僕は全く説得されなかった。ましてやそれに追従し、親の金で自由を謳歌し、国境からの離脱を唱える大学院生にいたっては、主張を聞く気も起きなかった。

こうした、わずかながらの個人的体験が、本を読むたびに「ちがう！　ちがう！」と違和感を突き刺してきた。時代状況についても同じだった。かたい壁にむかって殴りつけるよりも、柔らかいゼリー状の空気に押しつぶされ、もがいているような感触だった。反撥しても手ごたえがない閉塞した時代状況、これが多感だった僕が時代に下した結論である。

当時のアメリカは、九〇年代から徹底的になされた世界経済のグローバル化の牽引役であり、日本は思想上の国境否定とアメリカの経済政策によって、「国家」を奪われてつづけてきた。この時期、しきりに叫ばれた「平成の第三の開国」とは、政治の世界だけではなく、経済そして思想の趨勢にまで深くかかわっていた。開国＝国際化＝グローバル化の産物、それを僕は拙い言葉で、「ゼリー状の閉塞感」と呼んでいたのである。

□□□

一九九九年に大学を卒業し、アルバイトしながら本格的に学問の世界に入った。言葉の世界に入る決意をした以上、僕が感じているあいまいな閉塞感と違和感を、言葉に落とし込む必要に迫られた。第一に、なぜこうも「解体」ばかりを、だいの大人たちが主張するのかということ、第二に、なぜ日本の知識人は西洋の学問的知識を武器に、日本を切り刻み、論客として国内でのみ活躍を許されているのか。むしろ逆であるべきではないのか。

自らの生きる場所で練り上げられた思想を学び、物事を判断する基準をもつべきではないのか。それを自己主張することで、海外で「日本とは何かを」説明すべきではないのか。そのとき、ぶよぶよとした閉塞感は、はっきりとした壁として現われ、僕はその壁を打ち破り、外部＝異国の価値観と握手をするだろう。価値観の絶対性や自明性、世界全体で共有できる価値が奪われた時代にあって、さらに解体に手を貸す現代の知識人は、時代から一歩遅れている。

つい一〇〇年前まで、日本の知識人は国際感覚に富んでいた。むしろ国際感覚に富んだ者を、知識人と呼んだ。岡倉天心も森鷗外も新渡戸稲造も間違いなく知識人だった。一方で今のように国内だけで通用する西洋の研究など、実はどこにも所属していない言語で書かれた作品にすぎない。西洋研究をするなら、その言語の生きた場所に出向き、評価を勝ち取らねば駄目じゃないか。

逆に日本を研究する者は、片時も日本語で思索している事実を、忘れてはならない。母語の自家中毒を解毒する最良の方法は、外国語で自分を説明することである。他者と架橋するために、外国語で「自らとは何者なのか」を説明しなければならないのだ。国際的であることは、日本を徹底的に考えることの先に現われてくる——渡米前の僕の確信だった。

九〇年代後半いらいの僕の確信は、とても古風かもしれない。

一か月強のアメリカ短期滞在など、今日、何の新味もない時代にあって、日本とアメリカ、あるいはヨーロッパ諸国の違いに〝敏感〟であることは、時代遅れであるようにも見える。貧困国と呼ばれる国でさえスマホが普及し、〝同じ情報〟に接する今日、どこにいても僕たちは情報に関して民主主義的平等の社会にいる。そこに日本人やアメリカ人、コンゴ人の区別は存在しない。つまり情報の観点から見たばあい、僕らは国境を溶解させ、グローバルな世界に投げ出され、自由自在に「個人」であり得るわけだ。

しかしこうした平等化の果てに、今、世界の現状はどうだろう。「世界」などと大上段に構えずとも、極東の香港では、昨日もまた中国の政策に対して、激しく主権を主張するデモが一七〇万人の単位で起きている。今日八月一九日、トランプ大統領はついに天安門事件との関連性に言及した。朝鮮半島の日韓関係の緊張にも、アメリカの存在は無視できない。

つまりグローバル化が進めばそれだけ、むしろ国家間の対立は表面化してしまっている。アメリカの警察と黒人の対立に象徴されるように、肌の色から移民であるか否かの違いに至るまで、「他者との違い」は際立ってしまっている。

だから「違い」に敏感であることは、時代に逆行していない。現代は微細な差にまで敏感に反応するような時代なのであり、自分との違いを差別の原動力にして言葉はぶくぶくと肥え太っている。だとすれば、今、改めて日本はどのような国として自己主張すべきなのだろうか。国際社会が流動性を増せば増すほど、人々がエリート層であれ難民であれ「移動」を激しくする時代になればなるほど、国境や人種といった区分けが無視できなくなってくるはずなのだ。

そしておそらく、日本が同様の流動的世界に投げ出されたのは、少なく見積もって二回あった。言うまでもなく幕末維新期であり、第二次大戦敗戦による自己喪失の体験である。一度目は鎖国という自己同一性を揺さぶられる機会となり、二度目は戦前の自己像を完璧に解体された。いずれも混沌に突き落とされ、世界は白紙同然だった。そこから日本は今一度、自分が何者であるかを自問し、何より世界に説明する必要に迫られた。

これから、つたないアメリカ滞在記で描きたいのは、この二つの時期に、日本人がどうアメリカを見、刺激を受け、自己規定をしていくかである。「鏡の中のアメリカ」の「鏡」とは、むろん、日本人自身のことである。鏡はきわめて正確にアメリカを映し出す、ただし左右対称に。つまり日本人の心理に映るアメリカは、たとえば左右逆の像を結んでいるのかもしれない。しかしそれもまた、まぎれもないアメリカ像であり、それに触発されて僕たちは、左右逆の日本像をつくってきたのかもしれない。

令和の今、世界の流動性が混沌に変わる直前に僕らは身を置いている。何一つ確定したものなどない。だからこそ、しきりに僕は、先人たちの自己像形成を知りたいという欲求に駆られているのである。

□ □ □

サンフランシスコ国際空港に飛行機が降り立ったのは、予定時刻の二〇分前、一三時一〇分のことである。でもここからが大変で、パスポートを探しているうちに、僕はFederal Inspectionすなわちアメリカ連邦の入国審査を最後に受けるはめになってしまった。周辺に日本人観光客の若者数名がいたのだが、彼らはさっぱり英語がわからないらしい。「観光目的」というために辞書を調べ、sightseeingとだけいえば十分なところを理解できず、「斎藤真一といえばいい」などと言って笑っている。予想通り、入国審査官のアジア系の女性に手もなく相手にされず、強い口調に動揺して右往左往している。「手伝いましょうか」というと、いかにも混乱した調子で「お願いします」という。まずは僕からアジア系女性入国管理官との闘い？　となった。

「何のために来たのか？」

「えーと、たぶんビジネスではなく、研究滞在というのが正しいと思う」

「何か月滞在？」

「一か月強」

「なぜそんなに長く滞在するの？　どこにいくのか」

「最初の一週間はサンフランシスコで図書館などに行き、調べ物をする。そのあとワシントンＤＣに移動して、大学の先生と議論をし、一度講演も予定している。ところで彼らも日本人だ。英語ができないので助けたいが大丈夫か」

なんのことはない、羽田空港で出国手続きのとき同年代の女性から聞かれたことと同じだ。九・一一テロ以降、アメリカ入国前に聞かれる常套の質問なのだろうが、その対応の仕方が一八〇度ちがう。羽田空港の女性の優しいが、どこか慇懃な感じで、人の懐に入ってくる質問の仕方にたいし、アメリカは露骨に警戒感をあらわにしてくる。指図されるままに、両手の指紋を採取され、眼鏡をはずして写真をとられると、あっちへ行けと手で振り払われた。日本人学生たちの手伝いは受け付けないらしく、ハエを払うように出口へ手をむけられた。飛行機を降りてからたっぷり二時間、アメリカの厳しい壁を、僕はつきつけられたのである。

壁、ということでいえば、僕にとっては日本語と外国語の二種類の壁がある。日本語は母語であるだけに、壁が溶解し、その分うまく使いこなせている気がしない。壁というよりもむしろ多少の粘り気をもった水のような存在であり、飲んでも無害で味はなく、それだけに手でしっかりとはつかめない。

明治以降の日本語は、多少の凹凸はあっても意味を理解することに困難は感じない。中江兆民の漢文調の文章であっても、『大漢和辞典』を引きながら読めば理解できるし、意外に読みにくい北村透谷の文章もまた、同じである。だから日本語でものを読み、ものを考えているかぎり、僕はしばしば自家中毒のような症状に襲われる。自分と周囲との境界線があいまいになり、自己が溶解する、あるいは外側にあるはずの世界が容易に侵入してくる感覚に襲われるのだ。

難しい話をしているのではない。日常生活の一週間と、旅行をした際の一週間が、時間感覚に大きな違いがあることは、だれでも経験したことがあるだろう。日常生活は「なんとなく過ぎてしまった」と感じる。旅行していると、もっと時間はクリアだ。この時間感覚の長短のズレ、あの感覚が言語においても起きるのである。日本語で思考し、日本語の文章に触れているかぎり、僕はどこまでも深く思考し、分析できる感覚に陥る。だが度の強すぎる眼鏡が、かえってものを見えにくくするように、日本語は世界を正確に語るには、ときに、強すぎるのである。

この自家中毒は、九〇年代の僕には、決定的な意味をもった。なぜなら日本に関心をもち、学問の流行の中に入ることは、さらなる自己解体をもたらすからだ。日本語の文章を読むことは、僕の中に沁み込みすぎて、クラゲのように水分だけで自分ができている気がする。クラゲが透明であるように、次第に境界があいまいになる。残されたのは、不定形なまま崩れたゼリーのような「自分」である。どこまで掘っても答えのない悩みの中に落ち込んで、それを「書く」ことが、小説であれ研究であれ、主戦場になってしまうのだ。

この感覚はいたたまれなかった。だから日本研究をすることは、僕に外国語を学ぶことを必須とした。輪郭を確かめ、外部との接触を感じる「健やかな自己」、眼鏡の度がちょうどあっている自分をつくるためには、外国語の壁がどうしても必要だった。英語の世界に身を投じることは、壁を感じる、あるいは自己の身体感覚を取り戻すことだった。プールの中に入ったときに最初に感じる、あの水と自己の体との間にある被膜の感覚、身体の輪郭のようなものを、外国語は与えてくれるのである。

先の旅行の比喩に戻れば、旅行は次々に起きる出来事に不断に対処することだ。駅に行くのも試行錯誤、切符やカードを購入するのも一苦労が必要だ。だが日本にいて日本語で思考している限りこの緊張感が失われる。たしかに日本は便利な国で、日常生活に特段の苦労なく「生活」することはできる。だがそれでは僕の身体感覚は次第に麻痺してくる。「生きている」感じがしなくなる。

旅先にいるということ、あるいは英語を使うということは、壁を感じることで、その向こう側に自ら手を出し握手を求めないかぎり、相手と会話が通じない。どっかりと腰を下ろすのではなく、立ち上がって体を揺さぶるようにせねば、言葉を相手へ投げられない。英語を話すことは一種のスポーツで、英語学習は机に座っていては駄目だ、体を動かしながらウロウロ動いて話すにかぎる。

つまり英語を駆使することは、行動的であることと同じだ。行動こそ生の基本だということを教えてくれる。サンフランシスコ国際空港は、すでに十分に、僕が英語に求める世界を開いてくれた。できる限り、僕は会話をするように心がけた。道がわからなければ、いちいち質問した。そのたびに、空港職員の黒人女性は、受付女性と同様に、非常に適当な返答しかくれない。僕はここでは全く相手にされていない。そのとき下手な日米比較論や、アメリカ人の国民性は……などと論じはじめてはならない。

「生」とは相手にされなければ、相手にされるよう工夫をめぐらす試行のことを指す。目的達成のための手段を考えることを指す。他者への関心はそれに尽きる。それ以上の日本語での他者分析や詮索は無用である。

さて、この状況をどう打開し、観光客然とした日本人としてなめられず、生活できるのか。僕という鏡に、アメリカはどういう姿に映るのか。

旧グランドホテル前にて

九時間半のフライトをへて到着したサンフランシスコは、午後一時半である。日本時間でいうと、朝五時にあたっている。初日は疲れていたので、午後一一時半に就寝した。日本時間では午後三時ということになる。昼寝の時間だと思えばよいのかもしれないが、ふつうは仕事中の時間だろう。眠れるかどうか、不安に思っていたが自然と眠りにはいってくれた。エコノミークラスは足を十分に伸ばせず、熟睡とは程遠い寝心地の悪さだったから、疲れていたのだろう。ところが困るのは、翌朝二〇日のサンフランシスコ時間朝八時が、日本だと真夜中になってしまうことだった。起床時間が日本だと就寝時間になってしまう。体内時計は眠れと命じるので、初日の午前中を、僕は惰眠で過ごしてしまった。

午後になり、ようやく機中の疲れが取れたので、外出の準備をする。一八七二年正月早々、サンフランシスコに到着した岩倉使節団一行が拠点とした「グランドホテル」周辺を見てみたいと思ったのである。幸いなことに、僕が泊っているパウエル駅近くのホテルから、グランドホテルのあった場所までは歩いていくことが可能である。マーケット通りと呼ばれるメインストリートと、モンゴメリー駅のすぐ横を走るニュー・モンゴメリー通りがぶつかった場所が、目指す旧グランドホテルの所在地である。

通りに面していない日当たりの悪い部屋をでると、この日は快晴で気温は二〇度くらい。日本なら秋晴れといった塩梅の気候である。歩いているだけでは気づかないが、サンフランシスコは海の街だから海風がつよく、空にはカモメの声も聞こえる。大都会の上空をカモメが飛んでいるのは不思議な気がするが、街は観光客とホテルマン、さらには浮浪者もふくめて活気づいている。

昨日、ホテルまでの道すがら驚いたのは、アメリカでは薬局（pharmacy）が食料も売り、コンビニの役割をはたしていることだ。今日もその前を通って、パウエル駅まででる。有名なケーブルカー駅を背にして左の方に、マーケット通りをまっすぐに歩く。街路樹の葉の色は真夏にもかかわらず紅葉しているように見え、さわやかな風が吹いている。半袖から軽いオーバーまで、人々の着ている服は多種多様だ。

腹がすいた。何かを食べようと思ったが、日本の感覚からすると外食代は意外に高い。どこのレストランも張り紙をみると一五ドル前後なのだが、要は「この値段でこの程度の食事か」というのが、日本人の感覚で「高い」と思わせてしまう理由である。日本なら牛丼屋にはじまり、値段に応じて段階的に食事を選択できる。これがアメリカでは無理なのだ。もちろんマクドナルドやサブウェイといった、日本でもおなじみの店もあるにはある。だが、せっかくの海外初日で入ってしまうのは、いかにも味気ない。

ケーブルカー駅前のホットドック六ドルを高いと感じた僕は、しばらく空腹を我慢して、マーケット通りを歩いた。昨日は発見できなかった、より大型の薬局に大きく「食料品」と書いてあるので、夕食はここで買えると安心していると、目の前に一二ドルでプレートをだす店を見つけたので、思い切って入ってみる。

僕のあまりにも文法的な英語は、物を買う際には怪訝な顔をされることが多かった。

後々、タイ料理屋や日本食レストランで働いているアジア系の女性従業員と会話すると、ことごとくといっていい程、「なんだこいつ」という顔をされる。一方で、現地の学生らしき若者は、「私も日本人留学生と暮らしているから、日本人の英語力はだいたいわかるよ」などと笑ってお金を受けとってくれた。単身で短期留学しているので、こちらから何であれ話しかけない限り、英語を使う機会がない。いわゆる知的な階層の人とかわす議論のための英語であれば、おそらく問題はない。かえって、こうした市井の会話の方が、留学以前には全くつかめない英語、小説の中の会話から推測するしかなかった英語なのである。

多少の苦労の末、購入したプレートは、ホワイトチーズときゅうりのあえ物、ミートボール二個、パテと野菜中心のプレートにパンがついて十分な量である。アメリカに来て二食目だが、おどろく程多く盛ってくれる。店内には黒人客が四人とヒスパニック系が三人いて、食べきれないパンを包むためにアルミラップをもらっていた。遅い昼飯だったので、一息にかきこむ。一面ガラス張りの店内から眺める大通りは、陽光をきれいにはね返して美しい。

一〇年以上前のパリ滞在中にも気づいたことだが、ここサンフランシスコもまた湿度がきわめて低い。だから日本に比べると、ものみなすべてがクリアーに見える。葉の一枚一枚が美しく光を反射するし、道行く人や建物の輪郭がはっきりと見えるのだ。それが日本人の目から見て、海外を美しく見せる理由の一つなのだろう。

またもう一つ、海外にくると気づくことがある。それはサンフランシスコでも同じで、日本人からすると彼らはあらゆることが「大雑把」に見える。目の前にある紙屑のような一ドル札がそれを象徴している。彼らの服装とその着こなし方、体臭、客あしらいに至るまで、態度そのものが「大雑把」である。

だけど、僕はその態度を全く悪く思っていない。逆に日本の窮屈さ、息を止めて緻密に生きることを強いられている感覚からの開放を感じ、心地よいのである。たとえば、僕の頼んだプレートは一二ドルで、タックス一・〇二ドルを入れると一三ドル二セントである。僕が差し出した二〇ドルを受け取ると、店員は当然のように七ドルを返してきた。二セントのことなど面倒だ、と気にもとめないふうである。帰り道でセブン・イレブンを見かけて、日本との比較のために入ってみたのだが、ここでも四ドル八一セントの買い物をし、五ドルを出してから「少し待って」と言って一セントを出したところ、意外そうな顔で見返された。

サンフランシスコは寒いぞ、という友人の教えを真に受けておいたのが幸いし、僕は長そで一枚と安物のパーカーを着て、ジーパンを履いていた。日本なら近くのコンビニに買い物にでも、といったいでたちだ。アメリカでは身なりはあまり目立たぬように、が原則だと思ったからである。気候的にも安全面でもちょうどよい服装で、僕は岩倉使節団へと思いをはせる場所を目指している。

□□□

店をでて、腹ごなしにもう少し歩こうとしたとき、いきなり目的地が現われた。モンゴメリー駅が現われ、パレスホテルの名前が目に飛び込んでくる。さらに信号の向かい側に、バンク・オブ・アメリカもある。ここで間違いない。この現在はバンク・オブ・アメリカの地に、今から一五〇年近く前、「グランドホテル」があって、そこを中心に岩倉一行は三週間の間、サンフランシスコに滞在した。そこから見える景色に、現在との共通点はおそらく何もないだろう。しかしサンフランシスコの海風は同じように強かったはずだし、季節も夏に滞在している僕と、使節団一行が滞在した正月早々は逆ではあるが、カモメは飛んでいたに違いない。

改めて、岩倉使節団設立の経緯を振りかえっておく。

数々の政治改革が断行されたこの時期、とりわけ決定的な意味をもったのが明治四年（一八七一）七月の「廃藩置県」である。各藩バラバラに統治運営されていた封建制度を改め、中央集権化が確定し、明治新政府が全国を一括統治する基礎が固まったからである。それからわずか四か月後の一一月にアメリカへむけて横浜を出発したのが、岩倉具視を全権とする、いわゆる岩倉使節団なのであった。

直接の使節団派遣の目的は、翌年に迫っていた

一五〇年前にグランドホテルがあった交差点

不平等条約改正のための親善訪問、つまり地ならしにあったとされている。

幕末から押しつけられた宿題である条約改正一つとってもわかるように、中央集権化を達成したからといって、日本は国内外いずれにおいても安定性を欠いていた。つまり、とりあえず新しい時代に船出はしたものの、どのような国づくりをすればよいのかは混沌としたままであり、誰一人として明確な国家像を持ち合わせてはいなかった。確かに司法省は近代法の輸入を急ぎ、軍事力は西洋を模範に改革を進めようとしていた。だがバラバラに突進する者たちをまとめあげ、「国家」として全体像を描ける者がいなかった。

オランダ改革派の宣教師であり、政府の顧問をつとめていたフルベッキは、このとき海外視察をつよく進言した。それは恐らく、若くして重責を背負わされ、気負いから藩閥勢力争いに明け暮れる少壮政治家たちに、「国家」とは何かを教えたいと願ったからに違いない。彼らに自分たちが日本人なのだということ、諸外国にたいし、自国が何者であるかを説明する立場にあることを、知ってほしかったのである。法律や軍事、経済政策の専門家は国家の四肢にすぎない。左右勝手に動くその四肢が、結局どの方向を目指しているのか、口にだして説明するのは、国家像という「顔」である。

その顔を今、つくりださねばならないのだ。

四七歳の岩倉具視を筆頭に、木戸孝允、大久保利通、伊藤博文、山口尚芳など、五〇名近くの政府中枢メンバーが同行し、使節団は出発した。彼らはおおむね三〇代の青年であり、身分も全く異なる混成団体であった。使節団とともに一時帰国するデ・ロング駐日アメリカ公使夫妻をともない明治四年一一月一二日横浜港を出発した船は、二三日をかけてサンフランシスコに到着し、ホテルで荷をほどいたのである。

高校の近代史では、この使節団が帰国後、西郷隆盛を筆頭とする留守政府と対立し、「明治六年政変」を起こしたことになっている。

別名、征韓論争とも呼ばれる政治対立で、敗れた西郷と板垣退助は下野し、その後、西郷は明治一〇年（一八七七）の西南戦争で敗死した。この一連の対立は、西洋諸国を見てきた開明派が国内産業の成長を急務とし、一方の留守政府が世界情勢にうとく、日本の国力を無視して朝鮮半島へ進出を目論んだことが原因だったとされている。しかし近年の研究を参照すれば、これは全く間違った歴史である。たとえば西郷隆盛の留守政府は、華族・士族・平民が自由に結婚できるようにしたし、「穢多・非人」を廃止し、人身売買を禁止した。士族の廃刀義務を解除し、徴兵制を敷いたのも留守政府の時期なのである。西郷隆盛と聞けば、どこか古色蒼然とした親分肌で、封建士族の頭領のようにみなしていたら、それは後世のイメージからくる誤解である。以上のような革新的＝近代的な諸制度は、すべて岩倉らがアメリカを見ている最中に行われたものなのだから。

だが、高校の教科書の歴史から、学ぶべきことが一つある。それはこの時期、日本の「顔」がいまだに定まっていなかったという事実である。つまり政変と名前が付けられるほど混沌としていたということだ。フルベッキが少壮政治家たちに求めた国家像、日本人の自画像は混沌のままだった。

坂野潤治氏によれば、幕末の革命期を生き抜いた彼らには、少なくとも三つの顔があったという。工業化（富国）とナショナリズム（強兵）、そして民主化（公議輿論）という三つの顔である。このうち、どの顔が明治日本の国家像の位置につくのかをめぐって激しい争いがくり広げられた。工業化は大久保利通が、ナショナリズムは西郷が主張し、民主化は木戸孝允と、板垣退助にとっての目標であった。坂野氏が強調しているのは、経済・外交・政治というそれぞれ異なる分野の改革を主張している彼らが、その優先順位をめぐって決定的な対立をし、政争・戦争にまで発展した事実である。そのわけは、彼らの主張が単なる制度上の変革ではなく、自らがめざす国家像に直結していたからだ。つまり、自分が理想と考える「顔」をめぐる争いなのであり、日本という体に顔は一つしかいらない以上、自分以外の考えは排除すべきもの、抹殺すべき対立物だった。政策に順位づけはあり得ず、いずれか一つだけが生き残るサバイバル合戦だったのである（『近代日本の国家構想』）。

改めて、グランドホテル跡地に林立するオフィスビルをあおぐ。垣間見えるアメリカ西海岸の空は青く、海風を孕んで高い。車どおりは激しく、しかもTOYOTAやHONDAの日本車が頻繁にとおるので、一瞬、日本にいるような錯覚を覚える。でもONE WAYと書かれた標識を見ると、やはりここがアメリカであり、かつて日本人が近代を学び、自国の顔つきを確定するためにやってきたことを思い出す。そして渡米直前、貪るように読んできた、使節団に随行した篤実な学者・久米邦武（くめくにたけ）による記録『米欧回覧実記』が突如頭に浮かんできた。

「ガラントホテル」ハ、屋ノ高サ五層ニテ、一ノ支街上ヲ懸架（けんか）シテ、両区ノ地ヲ占メタリ、造営頗ル精工ニシテ、当州ニ多ク見サル広廈ナリ、食堂ノ広サ百二十坪ニ及フ、三百人一時ニ食案ニ就キテ余裕アルヘシ。

築年も浅い部屋のカーペットは燦然と輝き、一階の大理石が磨きあげられ足を滑らしそうになるほどだと、文章は続いていく。

漢学と洋学の素養にすぐれた久米邦武が、『実記』の編修にあたったことは、戦後完全に忘れられていた。「久米邦武」という名前は、歴史上では明治二四年（一八九一）に「神道は祭天の古俗」という論文を書き、帝国大学文科大学を非職にされたことで有名である。その結果、彼の洋行の成果は、抹殺されてきたわけだ。だがアメリカを皮切りに、ヨーロッパ各国の地誌・風土・商工業・学校事情を精密に描きだした『実記』は、日本人の西洋体験のはじめての本格的記録である。とりわけ「第一編米利堅合衆国之部」には、サンフランシスコから当時完成したばかりの横断鉄道に乗り、東海岸に向かう際の旅の記録が克明に記されており、その間に鋭い文明観察が盛り込まれているのだ——。

——日本はなぜ貧しく、アメリカはなぜ豊かなのか。その違いはどこにあるのか。

たとえば、アメリカにある植物園や動物園に似た施設は、日本にも存在する。だがその設置された意味、国民にとっての役割が違うのだ。アメリカの施設では、動植物を見せることで人々を啓蒙し、見聞を広め学識を深めさせることを目的としている。動物の種類はもちろん、羽化して成長し巣をつくる全過程を見せることで学習効果を狙う。最終的に、それは理学の進歩をうながし、農工業商業の実益に貢献し、国民の繁栄につながることになるだろう。これを日本の同じ施設が、ただめずらしく奇怪な動植物を見て、驚き騒ぐ見世物に堕しているのとは全く趣旨が異なるのである。このような東西の違いを、しっかりと認識せねばならない――。

サンフランシスコで編者久米邦武が、磨きあげられた大理石以上のショックを受けていたのは間違いない。大理石を敷き詰めた五階建てのホテルであれば、設計図さえ入手すれば、ただちに日本に移植することはできるだろう。だが同じ動植物園があるにもかかわらず、設立意図がこれだけ違うとすれば、その差を埋めることは困難をきわめる。なぜなら変えねばならないのは日本人の精神の構えであり、それは設計図を買い求めれば済むようなものではないから。奇抜なものを見て驚き、せせら笑って園から退場する限り、日常には何の変化も起きない。つまり新規の発想はでてこない。だが園内で羽化の様子をみて生命の神秘にうたれた者からは、必ず生命と人間の身体への関心が芽生えてくる。

ここで久米がアメリカに発見しているのは、教育というものがもつ長期にわたる力の大きさである。学習することは国民の精神に変化を引き起こす。それは長期的にみて国民の繁栄に寄与する。だがこうした長い時間で物事を考え、導入するだけの精神の余裕が、今の日本にあるのか？

壮大なアメリカ大陸横断記であり、鋭い文明批評に貫かれた『実記』を最初に読んだとき、僕の心は高ぶった。眼の前にグランドホテルがあるような錯覚に陥り、また大陸内部の砂漠地帯が、その赤い肌を露わにしている様が浮かんできた。どうしてもアメリカに行き、使節団が感じた空気を吸い、電車の軋みを感じ、広漠とした大地に「近代」が花開くさまを追体験しなければならない。東京の喫茶店で本を閉じながら、僕はなぜか大きく深呼吸していたのである。

ここに書き出したような次第で、僕の中に自然とアメリカを見てみたいという欲求が芽生えてきた。思えば近代日本研究をしている以上、「アメリカ」という存在の影を感じずに研究をすることは無理である。それは具体的には『米欧回覧実記』のアメリカであり、福澤諭吉が自らの英文の読書体験を結実させた『文明論之概略』、さらに留守政府の思想的結実ともいえる西郷隆盛の『南洲翁遺訓』の中にもアメリカはあった。

また時代をくだって、敗戦後の日本が立ちなおりかけたとき、江藤淳の『アメリカと私』『日本と私』、山崎正和の『このアメリカ』が、いずれも東京オリンピック直前のアメリカ体験だったことも見逃せない。敗戦によって極小にまで収縮したこの国が、ふたたび国を世界にむかって開いたのは、サンフランシスコ講和条約よりもむしろ、東京オリンピックだったからである。

そして今日、二度目のオリンピックを迎える日本は、いわば三度目の開国の時期を迎えているといってよい。だがその日本には、久米邦武の時代とは異なり、とても安易に、しかも歪んだ形でアメリカが入り込んでいるように思われる。

たとえば、アメリカにおける「多様性」は、いまや分断社会と化した社会状況に強いられてでてきた思想である。日本でここ数年、にわかに流行したDiversityという言葉の発端がどこの国のどのような思想の流れから来たのか、詳しいことは知らない。

ただ、アメリカ社会で生活すればすぐにわかることは、肌の色、髪型、背の高さ、お尻のかたちにいたるまで、全く多種多様な人々が暮らすこの国では、「多様性」とは前提であり、考慮せざるを得ない事実なのであって、この状況をどうしても肯定的な思想にまで高めなければ社会が瓦解するだろうということである。

アメリカにはまず、現実がある。生来の姿形の違いに加え、所得格差という分断、北東部とラストベルト地帯の地域格差、移民問題、個人が砂粒化し社会的な保障から見放され孤独化しているアメリカでは、多様性は強烈な理念として作り直さねばならない思想である。思想は現実から養分を吸っている。

ところが日本では、事態が逆になる。多様性という言葉が、どこからともなくメディアにポンと現われる。そんなものかと周囲を見回して、多様性が大事だと言ってみる。知識人が言っているのだから「正しい」思想なのだろうと思って、現実の中にあら捜しを始める。それが結果するのは、「多様」という言葉が微細な差異という意味に変化し、過剰なまでに他者との差に鋭敏になることである。

事態が逆だといったのは、日本では多様性を重んじるはずの思想が、他者との微細な不公平感を糾弾し、精神の平穏を奪ってしまうからである。アメリカでは精神と社会の安定のために求められる喫緊の課題、多様性の主張が、日本では逆の結果を生む。他人へ嫉妬し、謝罪を求め、多様性を追求しない人間を糾弾するのだ。心はすさみ、かえって分断が深まってしまうわけだ。思想だけ輸入する滑稽は、動物園をみて両国の違いに気づいた久米邦武とは、全く違うものであり、むしろ精神の病を抱えてしまうことになる。アメリカをみて気づくべきなのは、日本の現状を覆いつくしている窮屈さの方なのである。

開国とはなにか

一週間、僕が滞在したサンフランシスコのホテルは、マーケット通りの中心に位置し、有名なケーブルカーの発着駅からさほど遠くない。ただホテル自体のレベルは下から二番目といったところで、大学から出される費用だとおおむねこのくらいが妥当なところだろう。とにかく中心部は物価が高いのだ。

五階の一番奥の部屋は、向かいが隣の建物のため暗く、風も入ってこない。部屋を出て受付前にいくと意外に外があかるいことに驚き、気分まで清々することもあった。初日に思わず寝過ごして、廊下にベッドメイキングの声と掃除機の音がしたので、慌てて外出の用意をしてドアを開けた。そして通りがかりに、「五〇七号室なのだが、部屋の掃除をしておいてほしい」と頼むと、ドアノブに掃除ＯＫの札を下げておけ、と通り一遍の説明をされ、でもわかったという合図をしてくれた。

ところが旧グランドホテル周辺を散策し、帰宅してみると、部屋は全く手が入っていない。うんざりしていると、何かが足りないことに気づく。そうだ、風呂場や洗面台のタオルがない。しかも補充もしていない。つまり一度は部屋にはいりつつ、何も部屋を掃除しないままタオルだけ回収していったのである。これ以降、日によって掃除の出来不出来は明らかにあって、よく片付いた日にはどんな人が掃除をしてくれたのだろうと思いつつ、チップをあげたい気持ちになった。

机がなかったことも、物書きとしては致命的だった。渡米前、今回の滞在一切を手配してくれた旅行代理店に、いずれの滞在先のホテルでも机が完備されたところを探してほしいと念を入れて頼んでおいたので、最初のホテルで机がないことに多少の困惑を感じた。でもタオルの件もふくめて、海外ではトラブルつづきが常識なのだ。日本人は何かにつけて、きっちりとしすぎている。自分などその最たるもので、机がないだけでイライラしている。むしろなすべきは、机はないとして、何が代用できるのか、と思考をめぐらすことだ。自分の想定外の出来事を苦情で解決しようという考え自体、心地いい空間を他人につくらせようという幼児の心理ではないか。

そう思いなおし狭い部屋を見渡すと、ベッドの足元のほうに、電灯を置くための長方形のテーブルがある。それとベッドとの間には数十センチの隙間があるので、引きずってベッドの方に近づける。すると、ベッドを椅子代わりに即席の机ができあがった。電気スタンドも即席の照明に代わり、パソコンも置くことができる。これでベッドに資料を積み上げれば英文を書けるというものだ。不平を言うよりも、工夫して自分の意図を達成できたことに、小さな満足を覚えた。

日本では今、来年のオリンピックを控えて「おもてなし」などという言葉がはやっている。日本人は他人のために尽くすだけ尽くし、Thank you の一言をもらって大満足するのだろう。だが懇切丁寧な作法は、それを知らない外国人からすれば心地よく、驚きをもって帰国し、日本はよいところだったと思い出になるのだろうが、ことが日本人同士の日常生活となると、だいぶ意味が違ってくると思うのである。

つまり、日常の隅々まで「おもてなし」が行き届いた社会は、自らが交渉し、事態を切り開き、あるだけのもので工夫するという開拓精神（？）を失わせる。黙っていても、自分の望みに先んじて痒い所を掻いてくれる社会は、ちょうど何でも手の届く範囲にものを置いて生活できる三畳間に住んでいるのと変わらない。自分から動くことを忘れるし、相手がこちらの思惑と違うばあい、クレームをつけてすまそうとする。日本社会はオリンピックを前にますます幼児化している。

このホテルで唯一救いだったのは、ベッドの寝心地がよかったことだ。サンフランシスコの夏の夜は一五度くらいまで気温が下がる。ベッドに入り込んで、箪笥に入っていた毛布を上から重ねて寝る。しかし一六時間の時差によってほぼ完ぺきな昼夜逆転の状態となり、僕は体が慣れるのにたっぷり一週間を要した。気温にして一〇度低く、湿度がほぼないのは快適だったが、時差ボケばかりはどうにもできない。僕は日本ではなかなか得られない生きた英語を吸収しようとした出鼻をくじかれた。なにせ午前中から昼過ぎまで、ぼうっとしてしまうのだから。

□□□

サンフランシスコ滞在のもう一つの目的、それは図書館にある新聞資料を手に入れることだった。岩倉使節団一行の滞在期間中、地元新聞である『サンフランシスコ・

クロニクル（San Francisco Chronicle）』は連日、関連記事を掲載した。それがマイクロフィルムで保存されていることを事前につかんでいたので、現物を見てみたいと思ったのである。

今日はマーケット通りを西側、つまり右側に道をとる。壁にスプレーできれいに描かれた老人の顔を写真に収めながらしばらく歩くと、サンフランシスコ公立図書館がある。この何気なく撮った老人の顔写真が、僕のアメリカ体験に一味を添えることになった。

翌朝、地元のニュースをぼんやり見ていると、発砲事件が昨晩あったという。映像は走りながら後ろへむけて発砲する警官の姿を映しだしたのだが、その背景に、ちらりと映ったのが壁の老人の顔だったのだ。昼間は観光地の表通りも、夜になるとその表情を一変させる。アメリカ社会と銃とのふかい関係は、日本人には想像もつかない。今回の短期滞在で三日ほど滞在することになるシカゴで、僕は博物館の入り口に銃持ち込み禁止のマークをみて心底驚かされることになる。赤い丸に斜め線が右上から左下に一本ひかれ、そこにタバコの絵が描かれている図柄なら、日本でも見たことがある。ところがタバコの代わりに銃が描かれていたのだ。日本でなら、一〇〇円均一

壁にスプレーで描かれた
老人の顔

ショップで悪戯に貼るシールで売っているかもしれない。つまり冗談でしか銃など見ない日本とアメリカでは、あきらかに「見ている世界」が異なるのである。

　それはさておき、図書館周辺は公立機能が集中した地域で、オペラハウスなどもある。一五分くらい、地下鉄一駅分を歩いた表通りに面して目的地はあった。観光地のすぐ横なので図書館前には市場がたっており、トマトやマッシュルームを威勢よく売る雑踏をこえて館内にはいる。新聞関係は五階にいくようにと言われ、エレベーターであがると、急に日本の図書館と同じ静かな雰囲気を醸している。司書と思しき女性に話しかけると、これまた空港職員とは正反対の物腰柔らかな対応で、僕が「この図書館には初めて来た」と告げると、緊張を受け止めるようなソフトな声で「ようこそ」と笑った。自分は今回、この図書館にあるはずの一八七〇年代の新聞を探しているると告げると、女性は、ではこちらへといって受付すぐ裏にある書架に案内してくれた。驚いたことに、今から一五〇年前の新聞は、マイクロフィルム化されて整然と開架に置かれていた。一番わかりやすいパソコンルームの隣にあり、拍子抜けするくらい簡単に目的物に到達できたのである。

　一八七二年の一年分のフィルムを手にした女性は、すぐ後ろにあるパソコンの前に僕を案内し、フィルムの見方を説明してくれた。

「まず、マイクロフィルムを横にある機械のこの部分に挟んでください。それから画面の左下をクリックすると、フィルムが回転するので少し引っ張りながら右側にある映写機に置いてください。するとパソコンの画面に大きくフィルムが映しだされ、見ることができるはずです」

と手慣れた感じで操作方法を説明した。コピーをとることはもちろん、自分のメールアドレスにそのまま転送もできる、わからなければ何度でも質問してほしいと言い残して、女性は席へと戻っていった。

僕は岩倉一行が到着した翌日、一月一六日の新聞紙面から順を追って画面を動かしていった。紙面構成はおおよそ一面が宣伝、二枚目から三枚目にかけて主要な記事、四枚目がまた宣伝といった感じでできている。大事な記事の部分に限って、字がつぶれていてとても読みづらい。パソコンの画面ではすぐに目が疲れてしまうので、まずは二月三日までのすべての記事の主要部分を、どんどんコピーし自分のメールアドレスに送信しつづけた。Kido や oriental の文字が目に入ってくるとやはり感動的で、今ここで木戸が実際に生きて動いているような感覚をあたえてくれた。

そのなかで、特に注意をひいたのが二枚の肖像画が掲載された一月二八日の記事である。一枚はあきらかに日本人とわかる装束を身に着けている。目を凝らして英文を読んでみると、岩倉具視と駐日公使デ・ロングだとわかった。潰れた文字を判読するために、拡大率をあげる。目の粗くなった文字を追っていくと、次のように書いてある――。

日本からの現使節団によせる多大な関心のために、またかの国から今までに派遣された中で、最も大事な使命をおびた使節団であるため、われわれは本紙読者のまえに、できる限り彼らと彼らの動きについて、あらゆる情報を提供すべきだと考えました。この企画にそって、今日は使節団の主要人物である岩倉大使と、アメリカの駐日公使デ・ロングの肖像画を提供しましょう。デ・ロングの努力のおかげで、使節団は、わが米国を彼らの一連の諸外国訪問の最初の地とするようになりました。また、岩倉大使とアメリカ公使の略伝記も提供することができます。

もちろん、すでに一〇年以上前の万延元年（一八六〇）、日米修好通商条約の批准書交換のため、福澤諭吉らを乗せた咸臨丸が、はじめて太平洋を横断しサンフランシスコを訪れていた。その際、いかにこの地の人びとが幕臣たちを歓待したのかは、福澤の自伝『福翁自伝』に生き生きと描かれている。アメリカ人の側からすれば、日本はアメリカのおかげで開国した国であり、まるで自分の学校からきた生徒が成長して、自分と同じ仕事をしにきたようなものである。水夫たちが洋食に慣れないと聞くや、日本人は魚を好むと知っていていろいろ手配をしてくれ、毎日風呂まで入れてくれるなど至れり尽くせりである――。

だがそれにしても、福澤の嘆声から一〇年以上後の今回の使節団にたいし、新聞記者をして、「今までに派遣された中で、最も大事な使命を帯びた使節団」と書かせた緊張感とは何なのか。

おそらくそれは、岩倉使節団が過去と未来、二つを同時に背負っていたことによる。岩倉の顔には、新たな国家像を求める意欲と好奇心があふれていると同時に、焦りの色があった。日米修好通商条約の改正は、明治新政府にとっていそぐべき課題でありつづけた。そして実際、焦りは失敗を生みだしたのである。今回はあくまでも条約改正の地ならしと、親善目的だったはずの予定を変更し、改正交渉そのものに手をだしたからである。

背後には功績を焦るデ・ロングと、歓待にすっかり気をよくした伊藤博文、そして森有礼(ありのり)の存在があったらしい。日本側は予想以上のもてなしをうけ、しかも「派遣された中で、最も大事な使命」に理解を示してくれるアメリカを誤解し、過剰な期待をもったのであろう。サンフランシスコからワシントンへ移動後、フィッシュ国務長官にたいし、本交渉をしたいと申しでた日本側は現実を思い知らされる。天皇の委任状を要求され、伊藤博文と大久保利通がいったん帰国し持参するはめに陥ったのである。杜撰な思いつきの交渉がうまくいくはずもなく、結局、半年かかった交渉は決裂したのだった。

このとき使節団は、日本側からみた世界観と、アメリカのそれが全く違うことを痛切に感じたに違いない。アメリカの歓迎は、あくまでも好奇のまなざしに支えられている。自分とは異なる世界観をもつ存在だからこそ、興味を示している。

あるいはこのときアメリカ人にとって、日本人は学校の教え子どころか、動植物以下の存在だったのかもしれない。教え子はもちろん、動植物を理科学的に観察することは、自分の世界観の下位にそれらを位置づけることであり、他者として存在を認めることである。一方、極東の日本人は異界の生き物であり、いまだに自己の世界観の一部になっていない。日本人が動植物を見世物同様の猥雑なまなざしで眺め、日常生活から排除していたとすれば、今、アメリカの地で日本人自身が同じ差別と排除を受けていたことになる。

要するに、条約改正を受け入れるとは、アメリカと日本が同じ世界を見ていると認めることに他ならず、アメリカにとって、とうてい無理な話であった。日米のあいだに横たわる「壁」の存在を日本人はうっかり忘れていたのである。

朝食ぬきで史料の検索に没頭していた僕は、冷房ですっかり体がひえきってしまい、頭と眼の裏だけが熱を帯びたまま、いったん街へと戻った。そしてベトナム料理屋にはいり、牛肉入りのフォーを頼んで、日本でつかうよりも少し太く、だいぶ長めの箸を操りながら熱いスープをすすり、体を温めた。ホッと一息つくとアジア特有の雑然とした熱気を感じ、店内をゆっくりと眺めまわした。

異国の地でレストランを開き、生きていく彼らのなんと力強いことだろう。一心不乱に炒め物を食べる左隣の男性の、なんと今に集中して、生命を燃焼させていることだろう。一方、この雑踏のただなかで、過去に拘泥しているのは僕だけなのではないだろうか。一五〇年前の日米関係を図書館の片隅で嗅ぎまわる人間よりも、むしろ彼らの方が使節団の情熱に近いもの、ともかくも今を生き延びようとする力に満たされているのではないのか。

ふたたび史料の静寂に帰るために、僕は店をあとにした。

□□□

夜、タオルも満足にないホテルの部屋に帰り、即席のベッド机で夕食を済ませて、ごろりと横になった。そして改めて『米欧回覧実記』の文庫版で二〇頁にも満たない「桑方斯西哥（サンフランシスコ）ノ記　上」を読みなおしはじめた。

サンフランシスコ滞在中、使節団の視察行動は旺盛をきわめている。『実記』の中から一例をあげれば、一八七二年一月二三日（『実記』表記では明治四年一二月一四日）は、朝一〇時から午前中いっぱいを女学校と小学校の視察にあてている。校舎の大きさは幅がおよそ一七・八間、高さは一一間（一間は約一・八メートル）の四階建て、中は一四の教室をもっている。教室ごとに一名の教師と二八名の生徒がおり、全生徒数は八二〇人が収容できる。一八六四年に七万八〇〇〇ドルを費やして落成した教室では、読み書きや地理歴史、唱歌のほかにも裁縫が教えられている。女学生が一斉に歌う姿は、とりわけつよい印象をあたえたようで、次のように記されている。

　唱歌ハ小学ノ日課ニテ、以テ天神ニツカヘ、人倫ヲ和ス、洋琴ヲ鼓シテ、節奏ヲナシ、歩趨（ほすう）ヲアヤトリ、舞踏ヲナス、其教ハ男女ニ通ス、其性情ヲ発洩通暢（はっせいつうちょう）セシムルコト、唐虞（とうぐ）典楽官ノ冑子（ちゅうし）ヲ育スル意ニ暗号ス……

今、アメリカの地でピアノ（洋琴）にあわせて歌う子供たちは、まるで唐虞、すなわち中国古代の堯と舜が治めた時代の後継者教育を彷彿させるではないか。

ここで久米邦武は、自らの教養である儒教の眼をもって、アメリカを眺めている。儒教の世界観、善悪の判断基準は、幕末期までの日本人がものを見る際の「ものさし」であり、東洋の目盛をアメリカにあてがって、その大きさを測ろうとしていた。いいかえれば、アメリカという正体不明の世界に飛びこみ、暗がりの中を少しずつ進むとき、日本人は儒教という杖の先の感触をたよりにしていたのである。前章で、僕は久米邦武が植物園や動物園をおとずれた際、アメリカに脱帽したことを書いた。動植物を観察するアメリカ文化の態度を「有形の理学」として称賛した久米は、一方で同じものを珍奇なものとして鑑賞する日本人に、「東洋ノ無形ノ理学」の弊害をみていたのである。

英語を駆使できるだけで調子に乗った伊藤博文、二〇代半ばでアメリカ社会を渡り歩き、過剰な自信に溺れていた森有礼。この二人と久米との決定的な違いに、僕は驚かされたのだ。感動したと言ってもいい。

伊藤と森は、日米のあいだを自在に往来できると信じている。他者の言語につうじ、歓迎さえあれば、両国は分かりあえると思い込んでいる。一方の久米は、「壁」の存在に気づいている。あくまでも久米は日本人であり、その向こう側にアメリカは立っている。儒教の世界観でアメリカをスムーズに理解できることもあれば、逆に押し返され世界観の変更を迫られることもあるのだ。この駆け引きのなかで、久米は次第にみずからが日本人であることを余儀なくされたのであり、自他の差に気づいた久米の眼ほど、正確にアメリカの現実をとらえたものはない。以後、久米の筆は実証性を極め、使節団のために六〇〇〇ドルをかけて新設された電信の様子を描いていく。

そしてこの日の夜八時から行われたのが、サンフランシスコ市民主催の大宴会であった。グランドホテルには関係者三〇〇人が集まり、窓や壁は飾り付けられ日章旗と米国旗が交叉して掲げられていた。楽隊の演奏と豪華な食事が饗された後、一五人がスピーチを行った。その中で、後に「日の丸演説」として名を残すことになるスピーチを行ったのは伊藤博文である。彼は英語を駆使しながら、次のように言ったのだった――

――思うに今日ほど、日本で実際に行われている改良について、概要をのべる絶好の機会はないだろう。なぜなら自分たち日本人が、もっとも正確に国内についての知識を持っているからである。わが国民は、書物や視察をつうじて諸外国の政治制度、風俗、そして習慣についての知識をすでに理解している。私たちが今、痛切にのぞんでいることは、先進諸国が享受している「文明の最高点」に自分たちもまた登りつめることにある。この目的のために陸海軍や教育制度を導入し、数千年のあいだ絶対服従を強いられていた封建制度の下で、自分たちが自由を奪われていたことを知るようになったのだ。結果、日本は一滴の血も流すことなく、藩籍を奉還する奇跡を成し遂げることができた。

日本にはまだ、創造的能力は欠如しているかもしれない。だが文明諸国の経験を模範に貪欲に長所をとりいれてきた。実際、自分が管轄する工部省を例にするならば、鉄道や電線をおおいに拡張してきたし、灯台の敷設も進んでいる。造船所も充実してきた。こうして今後、ますます進展するだろう太平洋を舞台にした「新通商時代」に積極的に参加し、アメリカと協力しあうことを切に望んでいる――そして伊藤は、次のような言葉で演説をしめくくった。

我国旗の中央に点ぜる赤き丸形は、最早帝国を封ぜし封蠟の如くに見ゆることなく、将来は事実上その本来の意匠たる、昇る朝日の尊き徽章となり、世界に於ける文明諸国の間に伍して前方に且つ上方に動かんとす。

西洋では、手紙に赤い蠟糊で封をする習慣があった。だから日本の国旗日の丸は、まるで鎖国を象徴するように思われた。こうしたアメリカ側の世界観を理解したうえで、伊藤は今後、日の丸が「昇る朝日」として理解されることを望んでいる。つまり日本側の価値観が、西洋文明の側に理解される日がくることを期待していたのである。

そのためには、是非とも日本は「新通商時代」に参加せねばならないのだ。伊藤のこの主張は、経済のグローバル化への参加表明をしている。まるで平成日本が推し進めた新自由主義と同じことを主張しているわけだ。

一九九〇年代以降の日本では、グローバル経済に乗り遅れるなという声が響き渡っていたはずである。このとき僕らは、伊藤博文＝森有礼が主張する「開国」と、久米邦武が描く「開国」、いずれが正しかったのかを想起すべきであった。久米が『実記』に描いたアメリカは実証を極め、現在でも読むに値する。つまり久米という鏡に映ったアメリカは、他者との距離をはっきりと意識しているがゆえに、誤つことがないのだ。一方の伊藤と森は、自らを時代の最先端であり時代をよく知っていると自負した結果として、条約改正に失敗することになった。

伊藤の演説から一五〇年近く後、夏のサンフランシスコで、僕は明治と今のあいだを自在に駆けめぐっていた。

即ち日本士人の脳は白紙の如し

もう少し、歴史の旅をつづけたいと思う。

海風の街サンフランシスコは、日本人にとって「近代」の入り口であった。西洋文明の薫香は、太平洋を越えて極東の島国にも届いていた。自分たちの力だけで、なんとしても文明へと近づかねばならない。高々と帆を広げ、風をとらえ、日本は近代へと疾走せねばならない。安政七年（一八六〇）岩倉使節団より一〇年はやく、正月、日米修好通商条約批准書交換のための使節護衛艦として、咸臨丸がサンフランシスコを目指したのはその魁（さきがけ）だったといってよい。

だが当時、日本にはもう一つの風が吹き荒れていた。嵐、といった方が正しいかもしれない。安政の大獄のことである。大の西洋嫌いとして知られる孝明天皇にたいし、幕府側は「開国」を断行しようとしていた。具体的には、修好通商条約を勅許なしで調印しようとしたのである。そしてここに、もう一つの問題が絡んでくる。将軍継嗣問題がそれである。聡明で鳴らしていた一橋慶喜（よしのぶ）をおすグループと、徳川家茂を支持するグループの間で、激しい権力闘争が起こっていた。反一橋派の中心人物である井伊直弼（いいなおすけ）は、条約勅許をめぐる騒動の渦中で大老に就任、さらには家茂の将軍就任を決定してしまう。たいする一橋擁立派には、徳川斉昭（なりあき）や松平慶永（よしなが）らの優れた人物がそろっており、大老井伊の独断をはげしく詰問することとなった。

そして決定的な事件がおきてしまう。孝明天皇が条約締結断行にたいする不満を表明した密勅が水戸藩にだされたのだ。前代未聞のこの事件は、井伊直弼を危機に陥れかねないものであり、政治的対立は頂点に達する。安政五年（一八五八）九月七日、尊皇攘夷派・梅田雲浜（うんぴん）の逮捕からはじまる大獄は、この密勅に対抗するかたちで断行されたものである。橋本左内や吉田松陰が命を落とした。徳川斉昭は永蟄居、一橋慶喜も登城停止とされた。

そして二か月後の一一月一五日夜半。煌々と満月に照らされた船が、鹿児島は錦江湾へと漕ぎだした。湾内をしばらく船が進むと、突然、大きな水しぶきがあがった。同乗していた者たちが大急ぎで海面を探し回り、ようやく入水者を引きあげる。一人は僧侶であり、もう一人は巨漢の男である――。

これが、勤皇僧・月照と西郷隆盛の入水自殺事件である。

安政の大獄から逃れようと鹿児島まで来た二人は、追い詰められ自殺を図ったのであった。月照は死に、西郷は生き残った。最終的に、攘夷派と開明派とを問わず七九名の者たちが処罰されていった。一方、大獄を断行した井伊直弼も、安政七年（一八六〇）三月三日、桃の節句の大雪を、夥しい血潮で染めて桜田門外の変に散った。「アメリカ」と通商を開くかどうかをめぐって、これだけ多くの日本人の血が流されたのである。「近代」から吹く風は生臭い血の匂いを帯びていた。勝海舟と福澤諭吉を乗せた咸臨丸が、サンフランシスコへむけて出発したのは、大獄から桜田門外の変の最中、正月一三日のことである。

□
□
□

だからサンフランシスコの西郊、リンカーンパーク内にある咸臨丸入港百年記念碑は、是非とも訪れておきたい場所であった。この日、複雑なバスの系統がよくわからないまま、パウエル駅前から適当な西方面のバスに飛び乗り、最後尾の座席に腰をおろした。丁度よく同席した大学生風の若い女性に声をかけ、リンカーンパークまでこのバスは行くのかと尋ねると、少し手前の大通りしか通らないという。でもどうやら心配はなさそうだ。サンフランシスコの路は整然と番号がふられていて、順番通りにバス停となっている。25、26、27……34番まで来たときに、僕は呼び鈴を鳴らす紐をひいてバスを降りた。

いかにもアメリカ郊外といった感じの住宅街の向こうに、日本のより二回りも太い幹の松林が見えてくる。風は街中よりもさらに強い。一〇分ほど歩くと、リンカーンパークの入り口が見えた。芝生のうえでゴルフを楽しむ人はいるものの、公園は広すぎて、どこを目指せばよいか分からない。確かにここはゴルフ場をふくめ、保養地に適している。避暑にもってこいの風光明媚な場所だし、それでいて三〇分も車を飛ばせばダウンタウンにも出ることができる。適当に左手の坂道を登っていくと、美術館に出くわした。ロダンの「考える人」が待ち構えている。これがリージョン・オブ・

オーナー美術館だとすぐにわかる。ヨーロッパ美術作品がお目当ての観光客も多いだろうが、僕はスルーさせていただこう。

さて、どのあたりに咸臨丸記念碑はあるのかなと思いつつ周囲を見渡すと、美術館の左手に海が見える。松林の向こう側は急激な断崖となり、海にまで一気に落ちている。対岸にも半島が見えて、この海が海峡であることがわかる。断崖は高いから海鳴りは聞こえず、陽光を受けとめる海原は静寂を湛え、青い絨毯のように美しい。

思わず海に惹かれて近づいてゆくと、突如、「咸臨丸入港百年記念碑」に出くわした。しっかりとした漢字が大ぶりの石板に書かれており、木々に囲まれた碑の背景を海が占めている。右

断崖にそそりたつ咸臨丸入港百年記念碑

手の方を向くと、ゴールデンゲートブリッジの赤い姿が目に飛び込んできた。つまりここは記念碑と、サンフランシスコ第一の観光名所を同時に眺めることができる場所なのだ。欧米系の観光客が、僕の傍らで、チラリと解説文を読んでいく。そして興味なさそうな顔つきで、ぶらぶらとあちらへ行ってしまう。必死に写真を撮るこの東洋人は、いったい何に興奮しているのだろうとでも思っているのだろうか。

記念碑が建立されたのは一九六〇年、咸臨丸がこの地に来てからちょうど一〇〇年後のことである。それからさらに五九年後の盛夏、僕はこの地に立っている。咸臨丸が三七日をかけた旅程を、僕はわずか九時間半の飛行機でたどり

着いた。一五九年の歳月は、日本とアメリカの距離を、三七日から九時間半にまで近づけたわけだ。この時空間の短縮ほど、「近代」を象徴するものはないだろう。足元にある解説の英文を読みながら、僕はしきりと福澤諭吉の事を思いだしていた。

福澤は、幕末に三度、海を渡った男である。二度渡航した日本人は複数いたが、三回は福澤ただ一人である。最初はいうまでもなく咸臨丸でのアメリカ渡航であり、二度目は二年後の文久二年（一八六二）正月一日、長崎を出発しインド洋を経てマルセイユへむかい、ヨーロッパを歴訪した。そして三度目は慶應三年（一八六七）、これまた正月の二三日から六月二七日まで、アメリカに再渡航したのである。この一連の西洋体験が、啓蒙主義者としての福澤の誕生をうながしていく。

たとえば、彼の有名な言葉に「一身にして二生を経る」というものがある。明治八年（一八七五）の『文明論之概略』にある言葉だ。天保五年（一八三五）生まれの福澤は、明治維新を三〇代半ばで経験した。まさしく前半生を江戸幕末に生き、後半生を文明開化の明治に生きて六八歳で生涯を閉じることになる。だが二つの人生を一度に生きるとは、時間だけでなく空間についてもいえるのであって、彼はアメリカを含めた西洋文明の中に身を置くとともに、その目でもって日本を観察した。洋の東西を幅広く視野に収め、世界史的な規模でものを考え、言葉を紡いだのである。

一八六〇年、福澤がはじめて足を踏み入れた当時のカリフォルニアは、一三年前まではメキシコ領であり、一八四七年の戦争で領有したばかりの土地だった。だからサンフランシスコも開港から一〇年を過ぎたばかりの新港だと、福澤は書き記している。人口は六万ほど、気候は長崎とほぼ同じでめったに雪が降ることもない。『米欧回覧実記』で久米は一八六〇年当時のサンフランシスコの人口は五万七〇人、それが七一年になると一四万九四七三人になると書いている。少し前に金鉱が発見され、ゴールドラッシュの影響もあったのだろう。二人の日本人が訪問するまでの間に、人口は倍増している。

福澤が訪れたとき、すでに町は整然としていて、路には板が敷かれ「車馬」が往来し、人は両側の軒下を歩いている。「瓦斯燈（ガス）」が煌々と光をはなち、行き交う人が日本のように提灯を使う必要はない。石造りの家屋の中も同じであって、瓦斯燈をひいているから、蠟燭などつかう必要がない。瓦斯は市内の一か所で石炭を炊いて町中に供給されているのである。

物価はとんでもなく高く、日本の七、八倍もするし、駕籠の代わりに馬車が走っている。日本ならば馬に背負わせ運んでいる荷物も、ここサンフランシスコでは車に載せて馬にひかせている。この馬車一つとっても、福澤は最初は乗り物なのかどうかもわからなかった。車があって馬が付いていればわかりそうなものだが、動きだすまでは想像もつかない。馬車に乗って到着したインターナショナル・ホテルで、今度は久米邦武同様、絨毯に驚かされる。日本ならぜいたく品として煙草入れにでもする布が、何畳分も敷きつめられているからだ。

そのぜいたく品の上を、アメリカ人は土足でどんどん歩いていく。自分たちも草履のまま上がるしかない。席に着く。するといきなり酒がでる。徳利の口を開けるとすごい音がするから何かと思うと、これがシャンパンだ。注がれるコップの中に何か透明なものが浮いている。居並んだ日本人がめいめい恐る恐る透明なものを口に入れると、ある者は驚きのあまり吹きだし、またある者はガリガリと噛んで、なるほど氷かと合点する。春めいたこの時期に、氷があるなど思いもよらなかったのである。金物制作から砂糖精製、小麦の製造にいたるまで、すべては「蒸気機関」で動いている。日本と比べたときのサンフランシスコは、機械仕掛けと行き交う馬車の喧騒に満ち満ちた、大音響の社会だったのである。滞在期間中、福澤はメーア島の海軍造船所にある宿舎で過ごすことになるが、ここにも大規模な機械工場があり、煙突がもうもうと煙を吐いていた（『福翁自伝』）。

第一回目のアメリカ訪問で、大きな成果は二つあった。一つがジョン万次郎こと中浜万次郎とともに、『ウエブストルの字引』を購入したこと。二つに、中国人の著作である『華英通語』を入手したこと。彼はのち中国語・英語の原本に日本語訳をつけて『増訂華英通語』を刊行した。当時、幕臣の多くがアメリカの軍事力に興味を抱いていたことを考えれば、福澤の言葉への関心は特殊なものだったかもしれない。

だが言葉とは、それを使う人たちの世界観、ものの見方を反映している。日本語の赤が朱・紅・緋・茜と使い分けられているとき、もし英語が red しかないならば、見えている世界は全く別物になる。色だけの話ではない、国際情勢はもちろん、何を善とみなし悪とするのか、眼の前の世界は言葉によって腑分けされ、凹凸と遠近をもっているのである。

だとすれば、このとき何より言葉に興味をもち、中国語と英語の間に、さらに日本語訳を添えたことの意義は、思いのほか大きいといわねばならない。通商の便利のためだけに、人はここまで異様とも思える情熱を傾けて、辞書を翻訳したりなどしない。福澤をとらえていたのは、おそらく次のような事態だったのだ――アメリカに出会う以前、日本人は漢文こそ正式な言葉だと思っていた。それはつまり、中国の世界観、善悪の秩序を受け入れ「正しい」と見なしていたといってよく、大陸を中心に同心円状に世界は構成されていた。しかしここに突如、英語という言葉が現われる。それは全く漢文とは異なる世界観をもった人間たちの言葉であって、彼らが世界の価値決定の主役の座に躍りでた事実を突きつけた。福澤は「英語」という普遍的世界の存在を直感し、日本語をまるで指先のようにつかって向こう側の世界をつかもうとした。日本語を微調整することで、アメリカの凹凸の状態を確認しようとしていたのだ。「原書のVの字を正音に近からしめんと欲し、試みにウワの仮名に濁点を付けてヴヷと記したるは当時思付の新案と云ふ可きのみ」（「福澤全集緒言」）という努力によって、日本と普遍は架橋されようとしていた。

　だが周囲の学者たちを見てみよ。大半の儒学者は、いまだに同心円状の一部に日本をおいて世界を眺めているではないか。あるいは士族たちは、幕府や藩だけを世界だと思いこみ、自分が日本人であること、アメリカからはただ日本人として見られていることに気づいていないではないか。

あるいはまた、尊皇と攘夷を結びつけ、自分が世界の中心だと豪語している者もいる。日本語で構成された世界を普遍的だと思っているのだ。さらに纖細すぎる者たちは、漢文的秩序の急激な崩壊に耐えられず、精神を深く病んでいる。こうした人たちに、自分が考える「日本人」になってもらえるだろうか。真に普遍的になるとはどういうことか、理解してもらえるだろうか。福澤はそのように考えていたものと思われる。

□□□

ところでこの時点で、福澤はまだ木村摂津守の従僕にすぎない。日本人ではないのはもちろん、幕府の人間ですらない。帰国後正式に幕府の翻訳関係の職につき、二度の洋行を経験することになる。アメリカに上陸した際には、まだ横断鉄道が完成していなかったので、二度目のヨーロッパ行きの際、スエズではじめて鉄道に乗った。何でも見てやろうとする福澤らにたいし、幕府の役人たちは警戒感をあらわにして、外国にいるのに外国人に会うことを承知しない。しかし福澤にはどうしても知りたいことが山ほどあった。蒸気や印刷、理化学のことは国内ですでに原書講読で勉強済み、わざわざ聞かなくても分かっている。相手が一生懸命説明してくれる機械関係のことは、実は分かっているのだ。

では何が分からないのか。たとえば選挙が全く分からない。議院とは何だと聞くと、向こうは黙ってニヤニヤ笑っている。当たり前のことを聞くな、というわけである。だが保守党と自由党という徒党があって、議会で競い合っているのが分からない。なぜ政治上の喧嘩をしている連中が、同じテーブルで酒を飲んで飯を食っているのか、理解できないのだ。日本なら「徒党」を組むことは禁じられているし、政治信条がちがえば夜道で暗殺される攘夷の世の中だ。

文久二年（一八六二）二度目の洋行の成果は大きかった。旺盛な翻訳執筆作業が開始されたのだ。ヨーロッパ諸国訪問中の日記「西航記」とノート「西航手帳」を手始めに、「或云随筆」そして『西洋事情　初編』（慶應二年〈一八六六〉一二月）を刊行する。その直後、福澤は慌ただしく三度目の洋行に旅立っていく。再度のアメリカ行きであった。咸臨丸でサンフランシスコに初上陸してから七年の月日が過ぎていた。

その成果は「慶應三年日記」、『西洋旅案内』（慶應三年〈一八六七〉一〇月）、『条約十一国記』（同一一月）に結実し、翌慶應四年（一八六八）以降も『西洋事情　外編』や『訓蒙窮理図解』とつづき、明治二年（一八六九）の『世界国尽』、そして同四年（一八七一）には『啓蒙手習之文』が刊行される。

ここで細かく書物を列挙したのは、この時期の福澤がいかにはっきりとした目的意識をもって啓蒙家に徹していたのかを理解してほしいからである。このとき福澤は、ほとんど肉体労働をするように文字を書いていたに違いない。何のために言葉を書くのか、目的は明快であり、現実と言葉は密着していた。

たとえば西郷と勝による江戸無血開城の直前、新政府軍が江戸をめざして箱根を越えたとき、江戸中は官軍の乱暴狼藉を恐れ、パニック状態となった。横浜にある外国公使館や領事館に縁故のある者の中には、雇用証明をもらうことで官軍から逃れようとする者もあった。アメリカ公使が福澤のもとを訪れ、もしアメリカ公使館の証明書が日本人の保護に役立つなら何でも相談してほしいといわれる。

では、蘭学塾からの弟子たち、わが慶應義塾生はどう思ったのか。塾生の一人、小幡甚三郎（おばたじんざぶろう）は次のように明瞭に答えたのだ——アメリカ公使の親切は感謝にたえない、しかしそもそも今回の戦乱はわが日本国内のことであり、自分は紛れもない日本国民である。国の時運に従うのがあるべき姿なのだ。西洋文明の輸入はわれわれの望むところ、アメリカを慕う心は負けないが、学問は学問、立国は立国であって混同すべきものではない。よって私はアメリカ公使からの証明券発行をお断りしたいと思う。

この発言にたいし、福澤は小幡を「文明独立士人」と評した。

ここには明確に「日本人」がいるではないか。一人でも多くの小幡を作りださねばならない。圧倒的に不足しているのは、西洋にかんする情報だった。西洋はどのような政治制度、経済システム、外交姿勢をとるのか。また往来する際に、実際に旅券はどう発行すればよいのか。食事のマナーはどうすべきなのか。

何もかもが「具体的」であることに注意してほしい。洋行から帰国した福澤の目に映ったのは、気力充分で豪放磊落であるものの、儒学すらまともに学んだことのない士族の姿であった。武士道と報国の思いをもちながらも、無学である彼らに、何としても洋学を知ってもらう必要があった。文体を分かりやすく、最大限の工夫をこらした『西洋事情』が爆発的に読まれたのも、福澤の計算どおりだったわけだ。

「浅薄なる西洋事情も一時に歓迎せられたる所以なり。即ち日本士人の脳は白紙の如し」。（「福澤全集緒言」）

□□□

ところで僕は先に、士族たちが必ずしも文明開化を理解していないこと、アメリカから「日本人」として見られていることに気づいていない者たちが多いと指摘しておいた。

そして実際、福澤は慶応三年（一八六七）の二度目のアメリカ渡航で白紙のような脳の日本人に直面する。同行の幕臣たちの姿が、福澤の我慢の限界を超えたのである。具体的ないきさつは、「小野友五郎松本壽太夫両人の申立に対する弁明書」という文章として残されている。使命を果たして帰国後、福澤は両人から渡米中不行届があったとの申立てを受けた。結果、大量購入した洋書を差し押さえられたうえ、謹慎処分になってしまう。

だが福澤には、自己を正当化できる二つの言い分があった。

第一に、友五郎と壽太夫が上司の立場であるにもかかわらず、為替手続きについて全く無知だったこと。福澤に任せて彼らは昼夜酒をのみ歩いている。日本を出航する前日になんとか事務処理を終えて乗船し、彼らに説明を試みたものの、泥酔して為替手続きを全く理解しようとしない。ニューヨーク到着後、いよいよ三枚の為替で換金しようとしたが、その為替が見つからない。さらにワシントン移動直前に友五郎は、合計五〇〇ドル分も細々としたものを買い漁り、払う金がない。仕方なく元横浜に在留していた人物に頼んで、なんとか金を工面し、小使へ手渡したところ持ち逃げされたのであった。最終結果だけを見れば、どこの馬の骨ともしれない小使に大金をもたせた福澤の罪、ということになるだろう。しかし事の経緯を書いてみれば、非はあきらかに両名にあるではないか。

それればかりではない。福澤の逆鱗に触れたのは、彼らが洋書を商売のために買おうとしたからであった。これから国内では洋学が盛んになるだろう。だから洋書を今、買いつけておけば将来、高値になって売れるに違いなく、幕府の新しい収入源となると彼らはふんだ。この思いつきが福澤を刺激したのである。これでは政府は官でも公でもなく、単なる商家ではないか。原価で買い入れた書物を日本国内でも原価で売るのが政府の役目ではないのか。

帰国船の中で、福澤は酔った勢いも手伝って、こんな幕府は潰してしまえと気炎を吐いた。幕府があって国家なき幕臣たちに苛立っていたのである。書籍差し押さえのうえ、謹慎を命じられた背景には、こうした福澤の態度と思想にたいする幕府側の人間の警戒感、新しいものに出会った際に、僕たちがほとんど生理的に感じる困惑と拒否感があったのかもしれない。

このような福澤にまつわる様々な事実を、全て咸臨丸入港記念碑の前で想起したわけではない。でも、午後の陽ざしを受けた郊外は物憂く、物思いにふけるにはちょうど良かった。

夕方になると海岸沿いの風は急激に強くなり、思索にふけっていた僕の体は、すっかり冷えてしまった。

二〇ドル紙幣しか持ち合わせていなかったので、お金を崩すために一件のみすぼらしいサンドウィッチ屋に入った。店内で食べていきたいのだが、メニューが多すぎてよくわからない。日常用語、とりわけ料理や食材の言葉は来たばかりの僕にとって、最大の難関になりつつあった。極東風というより日本人の中年婦人に見える女性が、全てサンドウィッチだ、どれを選ぶかは肉次第だというので、熱い紅茶と一緒にケバブ風のものを頼んだ。おそらく僕が日本から来たと告げたからであろう、彼女は誤解して緑茶をよこし、奥の席へかけるようにいった。

聞けば女性は韓国出身で、移民として入ってきて長くここに住んでいるという。いかにも場末のカフェだが、日本とは違ってのんびりと経営が成り立っているらしい。今では日本のばあい、むしろ郊外の方がこうした鄙びた店舗はなくなってしまい、チェーン店のキラキラした店ばかりになっている。逆に都内、たとえば湯島や根津、千駄木周辺の方が、昔ながらの喫茶店や肉屋や魚屋、八百屋が健全な姿を見せている。日本の郊外は大型店舗の登場で、それこそアメリカ化したのだろうけど、少なくもサンフランシスコの郊外についていえば、そういったものはどこにも見当たらない。静かに移民が息づいている光景に、僕はようやく現実に引き戻され、頭の中の明治の旅路を終えた。

一七年ぶりの再会

まだ、サンフランシスコにいる。

久米邦武や福澤諭吉についてばかり書いていると、如何にも味気なく、図書館とホテルの間を往復する生活をしているように見えるかもしれない。現実のアメリカを無視して、明治時代の日米関係を追いかけているように見えるだろう。

だがそうではない。実際、僕は日本にいるときでも、図書館をほとんど利用しない。史料検索はするが、そこで腰をおろして研究することはない。これは受験勉強以来の習性のようなもので、図書館があまり得意ではないのだ。まず静かすぎて集中できない。周囲の人がたてる小さな音、貧乏ゆすりやキーボードを叩く音などが気になってしまい、自分の世界に没頭できない。また図書館を支配する、あの威圧的で重たい雰囲気に馴染むことができない。

まだ二〇代の大学院生のころ、僕は、書架を見て回るとある嫌悪を感じることが多く、それが何なのかについて考えたことがあった。背丈より高い書架には、びっしりと古本たちが並んで沈黙を保っている。黄ばんだ背を午後の陽ざしに曝し、埃を被った彼らに取り囲まれて冷や汗を流す僕の中に、ふいに「死者」という言葉がよぎった。

そうなのである。僕は古書の墓地の中に迷い込んでしまったのだ。あるいは誰一人訪れることのない、どこかの霧に閉された湖面にたたずんでいるのかもしれない。夥しい古書は墓碑に違いなく、僕だけが生者として横切っている。墓碑は黙っているように見えて、その実、死者たちの声を発しつづけている。インクの文字に生の時間を閉じ込めて、自らが死んだ後にもまだ、声を届けようとしてくる。本を書くということは、生の時間を缶詰の中に封じて、死して後、届けようとするいかがわしい企てである。その沈黙の声が静かに、しかし容赦なく僕へと降りそそぐ。封を開けるとでてくる生は冷たく、黴臭く黄ばんでいて血がかよっているとは思えない。とりわけ地下書庫で手に取る本はひんやりしていて、青白い表紙は死者の顔としか思えない。若々しくしなやかな僕の肉体は、生理的反発を感じて冷や汗を流しはじめる。僕の中の生が、無意識に死を拒絶しているのだ——。

だから日本であれアメリカであれ、僕は史料がそろうと、さっさと喫茶店に向かう。サンフランシスコ滞在も終盤にさしかかったこの日も同じだった。夕方、僕はケーブルカー駅前の大型ショッピング・モール・ウエストフィールドの地下にあるフードコートにいた。スターバックスのチャイティーを飲みながら仕事をしていると、とつぜん、子供連れの女性が話しかけてきた。黒いスカーフのようなものを頭から被り、一見して移民とわかる姿をしている。一歳半くらいの子供を抱き、五歳くらいの女の子が、ベビーカーをもって追いかけてくる。

女性は僕に、

「この子たちに食べ物を買ってあげなければならない。お金をくれ」

と催促した。よくある事といえばよくある事なので、五ドル札を渡すと、まだ訛りのどぎつい英語で話しかけてくる。ここで在米経験が豊富な読者ならすぐ気づくだろうが、現在のアメリカは完全にカード決済の社会になっていて、現金を持ち歩く者はほとんどいない。ただ僕は偏屈な人間なので、日本にいるのと同様に、アメリカでも現金主義を貫いていた。だからすぐに紙幣を手渡すことができたのである。

女性はしきりに五歳の女の子を指さして、意味不明な英語らしきものをしゃべっている。聞き間違ったのかと思い、僕は、

「赤ちゃんのご飯を買ってくるまで、この子を見ていてほしいの？」

と聞き返した。何度聞いても埒があかず、哀れを誘うためなのか、語尾の不明瞭な英語を話している。すると、とつぜん、女の子が、

「弟のミルク代のために、二〇ドルほしいの」

と模範解答のような英語で言った。僕は、

「それはいくらなんでも高すぎるね、ごめんなさい」

と言ったまま、読書に戻るふりをした。でも心の中のざわつきを止めることは難しく、彼らが立ち去ったあとも目で追いかけ続けた。

たぶん、この一連のやり取りが、演者三人による悲劇の共演であることはわかっている。ただ自分の子供に二〇ドルを懇願させる、三〇歳前後の母親を見るにつけ、ホームレスとはまた違ったアメリカの現実に気づかされた。すでに数日の滞在だけでも、黒人ホームレスの多さには驚かされていた。だがこの母子の演劇以後、周囲を注

意深く観察するようになってみると、改めて、いかにこの国には大量の移民が流れ着いているかということを思い知らされた。ヒスパニックなのかインド系なのか、僕にはよくわからない母子は、向こうの席の方へ行ってしまい、観光客にまた同じ演技をくり返している。

母親の弱々しい態度と、フードコートのタイ料理屋で肉を盛りつけてくれる不愛想きわまりない女性店員は、活気の有無では対照的だけど、どちらも「生」に対しては貪欲である。言いかえれば生きることに集中している。生きることは善でも悪でもなく前提なのであって、前進するために銘々ができることをしているだけなのだ。

八月のサンフランシスコで目の前にあったのは無心の生、ただそれだけだ。

なのに僕は、英単語を覚えたり史料を読んだりしているだけだ。確かに目の前にはアメリカの現実があるが、僕は日本で築いた地位と金銭を利用して、それを眺めているにすぎない。ふと気がつくと、この「生」からすぐに転げ落ちてしまう。たとえば映画の白色のスクリーンのうえに、ときどきフィルムの傷や塵がちらつくことがあるが、僕の頭の中はそれと同じで、生きること自体は白色なのだ。何かで色づけしないと、この白色がいつも前面にせりだしてきて、僕を停止させてしまう。無数の傷が、生きづらさとしてちらつく。もしここで生きる彼女らと本当に同じ経験をしたいのなら、僕は一切を棄てて、このサンフランシスコの地で自己主張をし、食い扶持を探しださねばならない。大学教員であれ喫茶店の店員であれ、この土地で自己の所属を探してこそ、今の「白色の僕」を越えられるのだ。

だからあくまでも、僕は「鏡の中のアメリカ」を見ているに過ぎない。日本という被膜で覆われていて、よほど意識して膜の向こう側に手を伸ばさない限り、生きたアメリカをつかむことはできない。

今回アメリカに求めに来たものは、明治の史料などではなく、彼女らの生の貪欲さなのかもしれない。古書になど囲まれてもびくともしない、そもそも古書などと無関係な「生」を僕は生きたいのかもしれない。こうした思いがあるから、久米邦武や福澤諭吉の躍動する文体が、逆に生き生きと働きかけてきたのかもしれない。

母親はもとより五歳の女の子もまた、自分のことを哀れとも悲惨とも思っていないだろう。金をもらえればうれしいし、もらえなければ、路上のどこかに眠る場所を探そうとする。ただそれだけに違いないのだ。

□□□

翌朝、相変わらずの時差ボケをかかえた僕は、五時半に起きだしサンノゼに行く準備をしている。

今日(こんにち)、サンノゼはシリコンバレーの街として知られている。サンフランシスコから鉄道で一時間半ほどだ。時間を持て余して、早いとわかっているのに七時にはホテルをでる。街は夜の雑踏の余韻がまだ残っていて、ひんやりとした新鮮な朝の空気と、ちょうど境目のような時間帯である。

昨晩の騒ぎは、道路に落ちているゴミとホームレスの眠りこけた姿に残っている。だが大通りにでれば、ジョギングをしながら談笑する爽やかな顔も見られる。中心部は観光地のためだからだろう、あまり通勤という雰囲気の人をみかけない。でも朝のニュース番組は、大渋滞の車列を映していたから、車で市内に入ってくるのが通勤スタイルなのだろう。東京に住んでいると、駅からビジネスマンが溢れでてくるのが通勤のイメージなのだが、それよりむしろ日本の地方都市の通勤スタイルに近いのかもしれない。

今日乗車するのは、カルトレインと呼ばれる通勤電車である。だが日本の通勤電車とはおよそ違う乗り物で、まず非電化のディーゼル機関車である。小さな男の子なら大喜びしそうないかつい車体で、大型重機のような迫力だ。しかもカルトレインのサンフランシスコ駅が、市内中心部からかなり遠いのも、到底通勤電車のイメージにあわない。いつものマーケット通りを渡り、南に四番街を二〇分以上歩かねばならないのだが、この何気ない散策の最中にも、僕はアメリカ社会の現実を見る思いがした。

途中、ハイウェイの高架下を通るのだが、そこには複数のテントがあってホームレスが住み着いている。その向こうに、市内の高層ビル群がサンフランシスコ名物の朝霧に浮かんで見えている。海外に行くと、通り一本の違いでがらりと雰囲気が変わるとは聞いていたが、その典型が目の前にあった。都会には巨万の富と快楽、きらびやかな歓声が溢れている。と同時に、都会とは性や暴力、猥雑と汚辱、人間の恥部が集まる場所でもある。大河の隅に芥が渦巻くようなものだ。都会とは危険な場所の別名なのである。だがいまの東京からはこうした暗部は排除されてしまった。きれいに掃き清められた東京は、人間の恥部を隠してしまっている。死と性、暴力が飼いならされてしまっている。ヒスパニック系の移民が三割を超えるカリフォルニア州がかかえ

ホームレスの人がたむろす通りの後ろにそびえる高層ビル群

る問題を凝縮したような風景に、僕は思わずシャッターを切ったのである。

早めに駅についたので、駅舎にあるカフェで紅茶とパンを買う。コーヒーは三種類から選べるようになっていて、人々は次々に三種類のポットから気に入ったコーヒーを紙コップに入れて足早に電車に乗り込んでいく。今日も夏なのに一五度くらいしか気温がない。風が吹いていないだけ過ごしやすい。僕はホットティーをすすりながら、パンをほうばった。雑な紙袋に、これまた雑に重ねられたティッシュをゴミ箱に捨てて、電車へと向かった。

そのときカフェの入り口に無造作に貼られた、

「私たちは、性的少数者の味方です！　大歓迎！」

という英語が目に飛び込んできた。ここサンフランシスコにはいたるところに七色の旗がある。アメリカ国旗がはためく姿は、アメリカのプライドを示すように海風を孕んでいたが、七色の旗に象徴される性的少数者に対する寛大な態度は、もう少し違う感覚からきているように思われた。

ここサンフランシスコでは、雑多な人々が生活し、その中で観念ではなく生活の次元でマイノリティーの生き方を受け入れようとする姿勢がある。男女ばかりでなく、

ＬＧＢＴの者たちを平等に遇することは、生活上の死活問題になっている。サンフランシスコで同性愛者は結束力を発揮し、政治的、経済的な力をもつようになったこと、少数者である者たちが無視できない存在にまで自分を高め、一定の勝利を収めた歴史があるのだ。

一方で日本では意識の高い人たちが、学習すべき新思想としてＬＧＢＴ問題をとりあげ、全く問題意識をもたない保守系政治家が批判し、失言騒ぎになったことがあった。結果、月刊誌『新潮45』は休刊に追い込まれたが、結局はＬＧＢＴ問題をわがこととして問うているとは思えない。なぜなら生活に根付き、同居の方法を模索する中でできた問題を、観念の次元で処理し対立をあおる道具になっているからだ。サンフランシスコの七色の旗に沁みついている体臭や汗や脂を脱色し、安っぽい正義感だけが先行してしまったのだ。

ここサンフランシスコでは、自己主張をしているのは、ＬＧＢＴの人だけに限らない。もう一つの観光地であるチャイナタウンもまた、移民である中華系が街を形成し、猛烈な熱量で生きている。彼らも少数派であるに違いなく、苦労してこの地で自らの存在を主張し、成功を収めた。もともと金鉱めざして一攫千金を夢見た者たちがつくったこの街で、自己主張は当然の義務である。

ここで重要なのは、彼らには戦いの歴史、つまり時間が存在することである。また少数者は世間における自己の位置づけを求めてきたのであって、決して同情を求めてきたのではない。あの地下レストランで出会った三人の母子も、性的少数者もチャイナタウンの中国人も、実は同じことをめざしている。アメリカ社会でいま、自分が存在すること、旺盛な「生」を生きていると主張しているのだ。

だが移民をふくめた彼らに、今のアメリカが住みにくい国になりつつあることを、僕はこの後、思い知らされることになる。

□ □ □

移民ということでいえば、今日会う約束をしている日本人女性も移民であるに違いない。

サンノゼに用事があるのは、実に一七年ぶりにある女性に会うためである。彼女は現在三四歳、二人の子供をかかえ仕事もこなす主婦である。彼女は僕の塾講師時代の教え子だ。彼女の高校生時代に、僕は東京のT駅近くの塾講師として、彼女を教えていた。個別指導形式だったから、すぐに仲良くなった。大学院生だった僕と、彼女の姉の年齢が近かったこともあり、親しみを感じてくれたらしい。

当時彼女は、ある中堅私立高校に通っていたが、そこで常にトップの成績を収める優秀な学生であった。しかしいわゆる受験勉強秀才ではなく、多感な時期をむかえた女の子らしく、家庭のこと、恋愛のこと、将来の自分について思い悩んでいた。姉が一〇歳離れていることもあり、年の割に大人びていて、同年代の男子高校生にはまぶしい存在で、よくもてた。

彼女はあかるかった。生活費の足しにするため、母親と同じ地元の飲食店でバイトをし、一生懸命に働いていた。家庭に多少の問題をかかえていたこと、そして思春期のどこに向かうともしれない行動欲が、彼女の目を海外へと向けさせた。東京の大学に進学し留学するというルートでは満足しきれず、直接アメリカに行ってみたい、年季の入ったおじさんが経営する古びた塾の教室で、彼女は僕に夢をよく語った。

そして彼女は本当に海を渡った。西海岸の大学で法律を学び、東南アジアからの留学生と恋に落ち、結婚し二人の子供をもうけた。いつかアメリカに行く際には連絡するから、といっていたのが、今日、ついに実現するというわけである。

　現在、サンフランシスコから車で三時間ほどの街に住む彼女と、一〇時半に駅前で待ち合わせた。一七年ぶりに会った彼女を見て、僕は「ああやっぱりここはアメリカだなあ」と思ってしまった。彼女の化粧の仕方が、日本の女性とはあきらかに違う。アイシャドウの入れ方が、何となくアメリカ式なのである。

　車で近くの喫茶店に移動した後、本当に久しぶりに彼女の肉声を聞いた。夫と共にレストランを経営し、ようやく軌道に乗ったこと。経営感覚のある夫は夜にバーを新規展開し事業を拡張していること。最近、地元にプールつきの家を購入したこと。そして育児の合間に自己研鑽を続け、地元の大学院で法律を学びなおし、翻訳の仕事もこなしていること……。

　しかし一見、順風満帆に見える彼女のアメリカンライフは、常に強制帰国を言い渡される不安と隣り合わせのものだった。とりわけトランプ大統領が選挙に登場した際、カリフォルニア州に住む彼女の周辺でトランプを支持する者は皆無だった。ヒスパニック系を中心に移民の多い西海岸地域では、彼の登場は脅威以外の何ものでもなかった。

アメリカでは、彼女のように外国人が大学に在籍しつつ求職するばあい、ＯＰＴ（Optional Practical Training）という制度を活用することになる。自分の専門分野に近い業種のみ、仕事をすることが許されるのである。その後、彼女はＥ‐１ビザと呼ばれるビザの申請を行うことになる。このビザ取得の条件には、アメリカ国内に企業をもっていること、またそれに対し相応の資本投資を行い、発展的に開発や運営を行うことが求められている。

これだけの説明からもわかるように、Ｅ‐１ビザとは外国人が滞在するばあい、自ら起業してアメリカ人の雇用機会を増やすならよい、その逆にアメリカ企業に移民が就職することは禁じるという趣旨である。東南アジア系と日本という、ともに移民である彼女らが、早々にレストラン経営を始めたのにはそれなりの理由があったのだ。

このビザの有効期限は五年で、原則的に更新も可能なのだが、ここで彼女は失態をおかしてしまう。コツコツと貯蓄するために、健気にも彼女は夫婦共有口座からのお金の引き落としを一回もしなかった。この事実は、夫との事実上の夫婦関係を疑われる疑惑を生んでしまい、Ｅ‐１ビザの延長を却下されてしまったのだ。

また彼女の説明によれば、シリコンバレーにも独特の移民問題があるという。シリコンバレー、つまりAmazonやGoogleなどのＩＴ企業はインド、中国などからの優秀な移民をかかえている。先端企業にとっても、トランプの移民追放政策はネガティブな影響をあたえている。知人のフランス人やカナダ人もビザ更新が難しくなっている、と彼女は教えてくれた。これは医療の世界も同様で、医者はインド系、看護師はフィリピン系が多いにもかかわらず、同じ構造をかかえている。つまり、貧困の象徴に見えるヒスパニック系の移民だけでなく、アメリカン・ドリームを求めてやってきた人材にまで、門戸を閉ざしつつあるのだ。

ヒスパニック系は教育も行き届かず、アメリカに来ても英語を話そうとしない。一方のＩＴや医療関係では、いわゆる「アメリカ人」よりも優秀な人材が雇用を奪ってしまうので、警戒されている。これが現在のアメリカのリアルな姿なのである。

大型書店に併設された喫茶店で、どぎつく着色された飲料を飲みながら聞くアメリカの「現実」に、僕は強い衝撃を受けた。トランプの「メキシコ国境沿いに壁をつくれ」という言葉を、僕はどこか異国の遠い出来事だと思って聞いてきた。日本ではリアリティの薄い移民問題に、彼女はいま直面している。トランプの政策いかんでは、アメリカ社会で積みあげてきた全てのもの――レストランであり、プールつきの家であり、家族形態すらも――を一瞬にして奪われ四散する。不安定な足場のうえに築かれた成功にすぎないかもしれない。この過酷ともいえる閉鎖性が、アメリカ社会の崩壊を、それでもギリギリ支えようという内向き政策なのである。

アメリカは独立宣言の国であり、あらゆる人種を受け入れていること、つまり分裂するアイデンティティを唯一のアイデンティティとする国であった。人工性が最も高い国家であり、それは日本の国柄と著しく異なる。

だから今、トランプ大統領下のアメリカは、自己否定に陥り、自分で自分を壊す方向に作用しているように思える。アメリカ自体が過剰に「アメリカとは何か」を問い、多種多様な自分から、白色こそがアメリカの色なのだといい始めるとき、実はアメリカは自己崩壊をはじめている。トランプがメキシカンや日本人を含むアジア人を否定すればするほど、彼らは社会の中で居場所を失いながらしがみつき、ホームレスは街角に住み続ける。あるいは、社会から高度な技術や医療が奪われてしまう。

自己同一性を求めれば求めるほど、社会はバラバラに解体し、アメリカは壊れていくのである。

分断社会

ここで少し、歴史の旅からはなれる。

帰国後、この原稿を取りまとめている最中（二〇二〇年春から夏）、世間の注目は新型コロナウイルスの世界的拡大でもちきりとなった。つまり本稿は、「コロナ以前のアメリカ最後の夏」を活写していたことになる。

中国からはじまった感染拡大は、瞬く間にイタリア発でヨーロッパ各国へと拡散した。ＥＵと呼んだ方が正確で、これまで国境を障壁とみなし、ヒト・モノ・カネを移動・流動させることを「正しい」とみなしてきた通念は、今や急ブレーキをかけられた。つまりグローバル化それ自体はもはや無条件の善ではありえず、各国は国境を閉ざす方向へ舵を切った。

そして今年、大統領選挙を控えているアメリカも三月一三日には非常事態宣言をだした。株価の暴落による経済的打撃への対応を間違えれば、トランプ大統領の再選は危うくなるかもしれない。学生ローンの金利免除政策などは、民主党左派の政策を取り込んで選挙を有利に進めようという意図があるだろう。サンフランシスコは原則外出禁止だし、一七年ぶりに再会した女性からは、商品棚になにもないスーパーの写真が送られてきた。

僕にとって、とりわけ象徴的に見えたのは非常事態宣言以降、飛ぶように銃が売れているというニュースである。購入者増加の理由は、全米がパニックに陥り無秩序になることを懸念して、家族を守るためだという。銃を所持するという行為は、人々の〝不安〟の象徴のように思える。コロナウイルスの世界的拡散によって、グローバル化で世界中の人々が抱え込んでいた〝不安〟が一気に噴出したように思えるのだ。日本でトイレットペーパーが品切れになる様子は、銃が売り切れるより、まだしも牧歌的だろう。だが両者に共通している心理は「現状に対する不安」から、何かをせねばならないと感じ、行動に駆り立てられてしまう焦燥にある。

この〝不安〟は、実は今にはじまったことではない。鉄鋼業や自動車産業を支えてきた白人中間層はグローバル化から取り残され、生活が崩壊していくのを止めるすべもない。だがアメリカにはもう一つの顔がある。GAFAと呼ばれるシリコンバレー発のIT企業であり、彼らの成功がアメリカの底流に渦巻く〝不安〟を糊塗してきたのだった。

しかし実際は、社会の富がごく少数の者に集中し社会的紐帯（ちゅうたい）が壊れていった。そこにメキシコからの移民が流入し、雇用喪失に拍車をかけた。僕がサンフランシスコで見た光景、早朝が清々しさよりも、むしろ昨夜の頽廃を感じさせたのは偶然ではないのである。典型的な観光地であるはずのサンフランシスコは、都会の明るさの背後に暗さ、無秩序、荒廃を抱えている。

日本でもかつての「一億総中流」といわれた時代は平成初期で終わり、「二極化」や「勝ち組・負け組」の言葉が躍ったことは記憶に新しい。

ここ三〇年ほどの社会的包摂の崩壊は、グローバル化によって引き起こされたものである。ヒトの激しい移動は日本のばあい、移民よりも観光客のイメージが強かったから、経済成長の起爆剤として歓迎ムード一色であった。しかし今回、中国人観光客のすっかり消えた銀座や浅草の光景を見るにつけ、隠し通してきた不安の方、社会構造が不安定化し、雇用の安定性を奪われつづけてきた「リアルな日本」が、一挙に顕在化してきたように見える。アメリカはさらに拍車のかかった状態であり、皆保険制度が整備されていないので医療にアクセスできない人々を大量に生み、一旦ウイルス感染が始まれば、拡大と死者の激増は免れない。トランプ大統領が今回、ここまで対策を矢継ぎ早にだす背景には、アメリカの危機的国情が色濃く反映されている。

□□□

アメリカ滞在記を続けよう。

僕はサンフランシスコを離れてワシントンＤＣへと飛んだ。飛行機で五時間かけての西海岸から東海岸への移動は、出発の遅れもあって快適なものとは言い難かった。だが三週間ほど滞在予定のワシントンのホテルは、打って変わって清潔感に溢れた大規模なもので、ありがたいことに室内には小型の冷蔵庫も備え付けられている。西と東ではここまで違うかという程、気温は夏らしく三〇度を超えて日差しはきつい。

まずは荷物を配置する。今回は机があるので、右側に日本語資料を配置し、ウィスキーを飲むためのグラスを、仕事用筆記用具の即席の筆立てにする。右手のテレビ台の下が引き出しになっているので、そこに二段分、下着やタオルを入れ、左手の引き出しには、薬や携帯電話のコードなどを入れておく。背広などはクローゼットにかけて、早々に旅行ケースもしまいこんでしまう。温泉の素などもちゃんと風呂場において、二時間程度で部屋のデコレイトが完成した。

明日以降、慣れてくれば、ジョージタウン大学の図書館あるいは学食などで勉強することになるのだろうが、とりあえず、夜の仕事のための準備は整えられた。

ワシントンＤＣでの最大の仕事は、ケヴィン・マイケル・ドーク教授に面会し学術交流を深めること、また彼に紹介された勉強会での講演と質疑応答である。これへ向けて、全力で英語力を鍛えなおす必要があった。講演が九月五日に予定されており、その後もしばらくＤＣに滞在するので、観光は講演後、ゆっくりすればよい。

明日の昼、ドーク教授は車で迎えに来てくれるという。そこで僕は、教授とどのような会話を交わそうか、およその想定問答を考えることにした。実は今回のアメリカ訪問は、日本での国際会議がきっかけだった。ドーク教授は日本留学経験が豊富で、ナショナリズム研究から出発した研究者である。とくに、日本浪曼派の研究を専門とされ、邦訳版『日本浪曼派とナショナリズム』（柏書房）は名著である。学生時代、この書にであって日本人を凌ぐ研究内容に驚き、尊敬の念を持ち続けていた。原典の英文も日本人に読みやすい文体、つまり前から読み下しやすい文章で、日ごろから英文読解や英作文の見本として大いに活用していた。

長年尊敬を重ねてきたその彼と、僕は二〇一八年に麗澤大学で行われたシンポジウムでパネリストとして発表・討論するチャンスを得た。「分断社会と道徳の必要性」をめぐるシンポジウムで、日本側代表として僕が、アメリカからドーク教授が招かれた。最初の面識を得る機会になったのだが、以前から著作で親しみを感じていた僕が積極的に話しかけると、向こうも僕のことを知っていたらしく、その後のメールのやり取りが続いた。そして今回、快く「訪問研究者」としてジョージタウン大学に招待してくれたのである。

麗澤大学で行われたシンポジウムは、大変に面白いものだった。日本研究者であるドーク教授は、一九七一年の永井陽之助「解体するアメリカ——危機の生態学」論文を参照しつつ、一方でラッセル・フィッティンジャー（Russell Hittinger）が雑誌

“*First Things*”2017によせた“*The Three Necessary Societies*”や、ティモシー・カーニー（Timothy P. Carney）の最新作“*Alienated America: Why Some Places Thrive While Others Collapse*”（いずれも未邦訳）なども参照し、アメリカが直面する社会情勢を活写してくれたからである。ドーク教授は流暢な日本語で、淡々と日米の現代社会の病理を発表してくれたのだった。

たとえば、前者のフィッティンジャー氏は、一九世紀の教皇ピオ九世の言葉を参照しつつ、人間は家族、国家、そして教会に所属してこそ幸福を得られることを強調している。この一見、日本とは無縁に思える何気ない引用が、僕の興味を惹いたのは、人間にとって「選択する」とはどういうことかについて、深く考えさせられたからである。

フィッティンジャー氏は、現代社会がここまで分断と孤立化を深めたのは、僕らが自由を「個人の選択できる権利」だと勘違いしたことにあるといっている。結婚、国家、教会への所属を自分の好みの問題、共同体への所属は出入り自由だと考えてきたのが、僕らの時代であった。これを経済学から見たばあい、人間は最も快適で有益な「選択」を瞬間ごとに行う存在だという定義になる。瞬間ごとに快適さは変わるから、選択肢はコロコロ変わっても問題ない。つまり快適さや経済的利益など合理的判断を行動の基準にする限り、人間は過去の自分と今の自分が、全くちがうものを「選択」してもまるで問題がない。

レジメに書入れをしながらドーク教授の発表を聞いていて、この部分を読んだとき、僕は強烈な違和感を覚えた。フィッティンジャー氏が露わにしたアメリカ社会に、恐るべき頽廃を感じたからだ。それは人間の荒廃といいかえてもよいのであって、アメリカの人間観は二つの意味で危機的である。なぜなら人間を「選択」する存在だといった途端、僕らは「責任」を問えなくなるから。また二つ目に、人間は決して合理的な存在ではないと思ったから。

過去と現在になんのつながりも想定しなくてよいならば、僕らは過去の自分の行為に責任を感じなくてよいことになる。実際、快適と有益を基準にするかぎり、人間は絶えざる変化に対応しつづけることを強いられる。自由とは束縛されないこと、責任を免れることにほかならない。

また僕らは決して合理的な「選択」などしていない。高額なコーヒーを飲むことで満足を覚えることは経済合理性に反しているだろうし、人間はわざと苦労して報われるどうかもわからないゲームに参加し、勝利や敗北に感動する生き物でもあるからだ。

つまり、僕ら人間はとても不思議な生き物で、快適さや合理性に反して行動することもある存在なのである。個人の自由よりは責任と献身を優先させ、子供のためには命すら投げだすこともできる生き物なのである。フィッティンジャー氏を通して、ドーク教授が示したのは、「選択」する人間観がもたらす病理なのであった。

しばしばいわれるアメリカ白人中間層の解体、グローバル化がもたらす弊害を、抽象的にいうならば、以上のように「選択」する人間観がもたらす病理と分析することができる。この指摘がシンポジウムの最中、僕の心をとらえて離さなかったのである。

一方でドーク教授が取りあげた、もう一人のティモシー・カーニー氏の著作には、少しだけ希望を感じることができた。ワシントンＤＣからペンシルベニアの錆びついた街まで、アイオワからバージニアへと、精力的に取材しアメリカの体内にある多種多様なコミュニティを観察したカーニー氏は、今や東西海岸部を除けば、アメリカンドリームは完全になくなったことを目撃する。しかし一方で、ウィスコンシン州のウーストバーグという小さな町に、人びとの温かいつながりが存在すること、ここに「活気」があることを発見した。

このカーニー氏の発見は、フィッティンジャー氏の関心と共通点がある。

それはアメリカにおける「教会」の役割の重要性のことだ。ドーク教授の発表内容を見る限り、僕はアメリカを建て直すには、まずもって白人中間層の精神的安定が必要なのだと直感した。移民大国であるアメリカには、アメリカ全体を一挙にまとめあげ、精神的安定を確保する手段は原則的に存在しない。各州の独立性がきわめて高いことに象徴されるように、それぞれの州が抱えている移民の比率も違えば、課題も全く異なっている。そのアメリカにあって、まずもって必要なのは宗教の再建なのであって、もちろんここにはヒスパニックもキューバ系の移民も含まれることはない。だがそれでも、緊急の止血措置として教会の復活が必要だという声が、彼らの著作からは響いてくるのだ。

こうしたアメリカ社会論と、戦前の日本思想研究は、ドーク教授の中で深いところでつながっているように思われた。

世界恐慌に襲われた戦前、資本主義（経済）、議会制民主主義（政治）、国際秩序（外交）は不安定性を増しており、これまでの常識が通用しない時代を迎えていた。いずれの時代も、安定と改革の必要性が求められていた時代なのである。

近年のドーク教授は、日本思想史の実証的学問を行い、田中耕太郎の解説書を出版している。と同時に、時事的な問題への関心も深く、日本語訳でも複数の著作で提言をしている。その発言はかなり強い保守色に見えるが、実際の彼の主張はそう単純なものではないことを僕は知っていた。むしろ、最良の意味でのコスモポリタンであるといってよい。田中耕太郎はクリスチャンであると同時に、カント哲学に造詣の深い人物であり、道徳の普遍性を信じていた。また、ドーク教授が研究対象とするもう一人の日本人、宗教哲学者の吉満義彦は、戦中に小林秀雄なども参加した著名な座談会「近代の超克」に参加した人物であり、近代社会がもたらす閉塞感に、宗教者として応じようとしたのであった。つまりアメリカにおける教会の役割に注目し、過度の個人主義の弊害を克服しようと試みる態度と、戦中の近代批判研究は、同じ問題関心に貫かれているのである。

こうして、知的刺激に満ちたシンポジウムが終わった後、南柏駅前のごく普通の居酒屋で日本酒を飲みながら、ドーク教授と僕は話しつづけた。面白かったのは、教授は「アメリカの壊れ方に比べると、日本は本当にまともな国だ」としきりに力説したことであった。

僕ら日本人研究者の現代社会論の傾向は、基本的に「今の日本社会の病理」を摘出することにあるから、いきおい、日本の現状に否定的になる。ただ僕のばあい、その論調は「なぜ、疲弊するアメリカの真似をこれ以上日本はするのだ」という日本批判だったから、ドーク教授の実感には頷ける部分が多かった。でも自分自身がアメリカを実見せずに、数冊の書物からアメリカ社会を覗いていることに、限界を感じていた。どうしてもアメリカの実情を肌で感じる必要がある――これが今回、アメリカ短期滞在を決断させ、しかも数か所をまわるかなり激しい旅程を組んだ理由だったのである。

□ □ □

そんなわけで、いよいよ僕はワシントンDCにやってきた。

宿泊したのは郊外、ポトマック川を渡ったアーリントン墓地の側にあるキーブリッジ・マリオット・ホテルだった。大きな橋を渡ると対岸が河岸段丘になっていて、ジョージタウンの街が開けている。歩いても一五分程度で大学まで行ける距離で、滞在中は河川敷の観光客の中を、多くのマラソンランナーに交じってジョギングして気分転換をした。

滞在二日目の午後、ドーク教授は大きな体を窮屈そうに車に押し込めて、ホテルまで僕を迎えにきてくれた。大学構内の主要部分を案内してから、街中へ昼食にでかけることにしようという。道々聞いたところによると、大学の建物の多くは学生寮で、河岸段丘に大学があるために外側への拡張が限られている。だから建物は上へ上へと伸びてゆくのだと、教授は苦笑した。

「日本の大学と同じこと、昨今のアメリカの大学も学生第一主義だから、日本の大学よりも研究室も研究環境も厳しいですよ」

というのが、出会って最初の説明なのであった。

アメリカ最古のカトリック大学であるジョージタウン大学のシンボル時計台は、大学構内では二番目に古い建物である。アメリカの大学は九月が新学期なので、今日は新入生関係の事務手続きや催し物が行われており、学生たちは野外での食事の真最中であった。アメリカの大学は一部を除けば私立大学の方がレベルは高く、この大学はとくに国際政治に強い。考えてみれば当たり前で、米国政治の中枢機関のすぐ横に大学があるのである。ビル・クリントンや緒方貞子が出身であることは有名で、最近では河野太郎防衛大臣（二〇二〇年八月現在）が比較政治学を学んだ大学でもある。だが昨今は日本人留学生の数は極めて少なく、アジア系に見える学生の大半は、中国や韓国などからの学生だと聞かされた。

中庭にある一番古い建物である教会へ案内してくれた後、すぐ右脇にある小さなバルコニーを指さしながら、ドーク教授は「ここが歴代の主だった大統領が演説した場所ですよ」と意外なことをいった。それくらい慎ましい広場であり壇上だったのである。よく見るとなるほど、右側のボードには主要な大統領たちの名前が彫り込まれている。僕は「大国」アメリカの歴史

ポトマック川の対岸に見えるジョージタウン大学の時計台

的演説が、こうしたごく普通の場所で行われたことを想像し、実像のアメリカに触れた気がした。テレビで観る大々的な選挙セレモニーをアメリカの典型だと思っていたが、ここに流れている時間や雰囲気は全く別世界の慎ましさなのだ。

ジョージタウンの街もまた、理想的な大学街といってよかった。ＤＣ内部のどこか官庁街の慌ただしさに埋め尽くされた雰囲気とは無縁であり、小綺麗な商店街と、青々とした木々、河川沿いの解放感が落ち着きを醸しだし、気分よく思索することを妨げるものがない。サンフランシスコに比べて観光客の数もちょうどよく、街に馴染んでいる感じだ。大学周辺の住宅街は散歩するにはちょうどよく、実際、河川敷へ向かう途中の喫茶店で、いかにも大学教授らしい人物がいるので見てみると、デカルトに関する本を読んでいる。

食事の席で、改めてドーク教授から今回の日程内容について話があった。まずは新入生相手の神学の講義で三回ほど日本の神について取りあげる予定があること。江戸期の国学を含めた日本思想に関する論文を、毎回、学生には事前に読んでくるように指示し、それを踏まえて講義は行われること。その際、講義の大半の時間を先崎に担当してもらい、論文を踏まえた自説を自由に展開して構わないこと。これは寝耳に水の依頼であったが、快諾した。

また今回の留学の最大の目的、講演にかんする詳細も教えられた。名前こそＳＵＳＨＩ会という非常にカジュアルなものだが、勉強会自体は野心に満ちた面白そうなものであった。主催者は日本の自動車関連会社に勤める、通称マニー氏である。会自体は三〇人ほどの中規模なもので、半分は日本語を理解することができ、あるいは短期であれ留学を経験している。日本のテレビ局のワシントン支局長や台湾の新聞の関係者、国際弁護士など多士済々が集まっており、日本関連の企業や政府系の機関に勤める三〇代〜四〇代も多いはずだと聞かされた。

この発表こそ、今回の旅の最初のピークになるだろうと僕は考えていた。すでに発表用の原稿は、日本で完成させてきた。それは日本の現状を民主主義の危機の観点から考察したものであり、何より日本の現実を活写し、思想的分析を行うことを目指したものだった。僕はワシントンＤＣの地で、ほどなく「日本とは何か」を自己主張することになるだろう。いわゆる日本学を専門とする学者・研究者に対する発表ではないことが、僕の気分を高揚させ期待を膨らませていた。なぜなら日本に関心を寄せつつも、日米関係、東アジア関係に日々、生身で接しているアメリカ人に対し発表することは、アメリカ人と直に肌を触れ合うことを意味するから。アメリカという身体の体温を感じたとき、僕は同時に日本という身体感覚を取り戻すことができるはずだから。

それは僕に、きわめてささやかなものであっても「公的役割」を担う感覚を与えてくれることだろう。僕はこの場で、先崎や大学教授という個人的肩書よりも、むしろ日本人として日本をどう評価しているかを問われているからである。彼らは日本について聞きたがっている。それを説明する僕は、当然のように日本のある部分を代表し、公的な役割を担うことになるのだ。日米それぞれの地で生きる人間が、全く違う世界観で物事を見ていることが白日の下に曝され、商社マンが交渉するかのごとくに、現代社会論を戦わせる場面を僕は想像し、気分が高まった。

大学前の道路オーストリート・ノースウェストを真っすぐ歩き、ウィスコンシン・アベニュー・ノースウェストにぶつかったところで右折してしばらくの場所に、小綺麗なレストラン・マーティンズタバーンはある。クリーム色の建物の内部は落ち着いた雰囲気で、ゆっくりと時間を吸い込みこげ茶に変色した壁にマッチしたテーブルがしつらえてある。静かな照明が客と室内をしっとりと照らしている。眼鏡のよく似合う従業員の勧めにしたがい、海老にベーコンを巻いたリゾットと海鮮スープを注文した。

歴代の大統領や政治家が利用したことで有名なこのレストランには、それぞれの席に誰が座ったのかも壁にはめ込まれていて知ることができた。J・F・ケネディやニクソン、ジョージ・W・ブッシュらが、時に新聞を片手に食事をし、あるいは書類を書くこともあっただろう。にもかかわらずレストランは、驚くほどカジュアルでもある。アメリカ政治の一部は、この気楽な雰囲気の中での会話から生まれたのだろう。

「レストランの数も東京に比べて圧倒的に少ないから、来る場所は限られてくる。だから自然と著名人が同じ店を利用するようになるのです」

とドーク教授は説明してくれた。深い椅子に腰を下ろすような安堵感が、僕の興奮を少しずつ鎮めていく。

これからワシントンDCの地で、僕は必ず成功せねばならない。「公的な役割」に失敗は許されないからである。その先に、今度はDCからシカゴを経て、サンフランシスコにまで戻る大陸横断鉄道の旅が待っている。岩倉使節団が体験し、久米邦武が書き記したアメリカ内部の光景に出会う。もとより、これから僕が負うつもりの公的な役割は、使節団の一万分の一にも満たないし、何を大袈裟なという冷笑が聞こえてくることも知っている。だがその冷笑を、僕の実力のせいだとだけ考えれば、事はとてもつまらなくなる。むしろ時代の差、二〇二〇年の日本人が感じる「国家と個人との距離」の問題として考えてみたいのである。

ジョージタウン大学での講義

　翌日もホテルのロビーを左手にすすみ、対岸へと橋を渡り大学へとむかう。河口近くのおだやかな流れのポトマック川のむこうに、するどく天を突き刺す大学の時計台が見えている。赤レンガ造りの学生寮が周囲に点在し、どことなくヨーロッパの古城のような佇まいをしている。橋を渡り終えて、急坂を登ればもう大学周辺ということになる。

　正門を入ると時計台、正式名ヒーリー・ホールを背景にジョン・キャロル大司教の銅像が出迎えてくれる。周囲は赤と白の花々で覆われ、相変わらず新入生歓迎会で学生たちは芝生に座り込んで談笑に大忙しだ。アメリカのカトリック系大学としては最古の歴史をもつこの大学は、ジョージ・ワシントンが初代大統領に就任した一七八九年に、この大司教によって創立された。東大の設立が一八七七年だから、およそ一世紀はやいことがわかる。

ヒーリーホールを抜けて裏手に出ると、中庭にダルグレン・チャペルという小さな教会がひっそりと建っている。中には、アメリカ移民当初にもたらされたという十字架が記念として架けてあるが、その写真を撮ろうとすると、背後から初老の教諭と思しき男性が、資料を小脇にかかえて入ってきた。そして数人の学生になど見向きもせず、静かに腰をおろし祭壇にむかって祈りを捧げた。僕は彼のいかにも大学教員らしい身なりと、敬虔なしぐさに心動かされた。

教会をでて中庭の右手にあるオールド・ノースと呼ばれる白亜の建物の方へと近づいた。教会とこの建物に囲まれた中庭こそ、歴代アメリカ大統領が演説した有名な場所である。昨日、短時間でドーク教授から説明を受けていた建物の壁を見てみると、解説板が設置されてありこの建物が一七九五年以来メイン・ビルディングであったこと、ジョージ・ワシントンにはじまりアンドリュー・ジョンソン、二〇一三年にはバラク・オバマもここで演説した旨が刻まれている。日差しが小さな褐色の教会と、演説の舞台となった白いバルコニーに降り注いでいる。

昨日は通らなかった教会の裏手にまわると、左手の下方に大きなアメリカンフットボール場が見えてくる。小さなトンネルをくぐると、昨日ドーク教授と話が盛り上がったビラがたくさん貼りつけられたビルの前にでる。僕は教授に、ここがいかにも大学らしい場所だといった。アジビラの貼ってある校舎が、僕の母校である東大でも一九九〇年代いっぱいは大学らしい風景だったからだ。彼は笑って、「でも、もう十分でしょう」と、アメリカでも吹き荒れた六〇年代後半の学生運動を念頭に、顔を少ししかめた。彼は学生運動にきわめて批判的なのである。日本でも近年、政治的関心はすっかり学生たちか

ジョージタウン大学校内で思い思いに談笑する学生たち

ら薄れてビラもなくなりましたよ、というとドーク教授は意外そうな顔つきをした。

さらに裏手にまわると医学部棟が見えてくる、これはまるで、東大と同じつくりである。東大も正門からまず見えるのは時計台であって、裏手の方に医学部がある。ただ、食堂を比較するとジョージタウンの雰囲気は日本のそれより一枚も二枚も上手で落ち着いている。

こうして翌日から比較的落ち着いた留学生活がはじまった。朝は遅くとも七時までには起きだし、散歩をかねて大学へとむかう。橋を渡り終えると、少しだけ回り道をして街並みを散策してから正門を入る。右手に道をとり、研究棟のあいだをぬけると食堂が見え、医学部棟の工事中の音がはやくも聞こえる。その少し手前にある橋を渡って、日本の大学ならさしずめ生協のはいった建物のドアを押す。

生協はまだ開店していない。店の前には学生が自由に勉強できるスペースがあって、すでにちらほらパソコンを開く姿がある。雑踏を好む僕は、さすがに学生には見えないだろうが、同じく腰をおろす。そして午前中は講演発表用の英文原稿の校正や、日本からの持ち込み仕事である新聞の書評を書く時間に費やす。少し早めの一一時半に学食で食事をとることも決めていた。

いくつもあるフードコートの中で、僕の一番のお気に入りだったのはバイキング形式の店である。面白いのは何をとってもグラム売りをすることで、一グラムいくらと予め決まっていて、肉であれ、果物であれ同じ値段を支払うのだ。アメリカに来てからようやくまともな温野菜にありつけた僕は、初日などあれこれ取りすぎて、最後に夜食用のバナナも一本買い足したところ、一八ドルもかかってしまった。細身のアジア人がかなりの分量の弁当を買うのをみて、レジの店員が意外そうな顔をしていた。

午後になると、研究をつづける前に、食後の散歩をかねて大学周辺を歩く。あるいはいったん、ホテルに戻り日本から持ち込んだランニングウェアに着替えて三〇分程度の軽いジョギングをする。ここは軽く走るにはおあつらえ向きの場所で、起伏や景色の変化に恵まれている。たとえばホテルをでて川を渡り、大学とは反対の方へと道をとれば、ランナーとして小綺麗な街並みに紛れ込むことができる。日本の舗装道路とは異なり、レンガや石畳が基本だから足元には注意せねばならない。右手に折れると川べりまでの下り坂となって、ウォーターフロントの観光地となる。

海鮮レストラン・フィオーレマーレにはサングラスをした客たちが午後の陽ざしを浴びていて、自家用船のうえで裸になった男性陣がビール瓶片手にはしゃいでいる。

向こうに見えるのはセオドア・ルーズヴェルト島だ。こうして走っていると何もかも忘れる瞬間があって、留学先なのか日本の日常なのかが分からなくなる。非日常の場所を走っているにもかかわらず、ジョギングを習慣化すると日常の自分を取り戻すことができる。二日に一度のジョギングが定着すると、次第に距離を走れるようになり、ポトマック川沿いを走ってくだり、二つ目の大橋をわたってアーリントン墓地で引き返し、ホテルまで戻る一周マラソンをするようになった。それはちょうど硫黄島の記念碑の前を走っていることを意味したが、全ての観光は講演発表が終わってからと決めていたので引き返していた。

□ □ □

ドーク教授は、高校時代に長野県の上田に留学したことがきっかけで日本に興味をもち、大学入学後、日本学科が「近代の超克」を取り上げた際、西田幾多郎らの京都学派の哲学よりは、自分は文学的な方面に向いているということで、日本浪曼派の研究に没頭した人である。

日本に留学した際には立教大学に籍を置き、東大の伊藤隆先生も紹介され、しばしば近代史のゼミナールに参加していたという。また日本浪曼派の研究を目指したことから、批評家の桶谷秀昭氏などからもよくしてもらったと、懐かしそうに往時を振り返った。

彼に会った初日、はじめて通された研究室のソファーに腰かけながら、

「なぜ、近代批判やナショナリズムに興味をもったのですか」

と質問すると、

「当時、日本学以外の方面でも、民族問題への関心が学問潮流の主流をなしていたからです」

と答えられた。僕は自分が大学に入学した一九九五年当時、イスラム学の山内昌之教授やベトナム研究で知られる古田元夫教授らが共同編集した『いま、なぜ民族か』（東京大学出版会）を手にして講義に出席していたことを思いだし、ストンと胸に落ちる気がした。彼らが学生時代のころは、いまだ「政治の季節」だったから、民族独立問題やナショナリズムは研究の最前線であった。また日本の民族問題の一つ、戦前の日本浪曼派の主張は明治以来の文明開化批判であり、近代に懐疑的な文学運動を展

開していた。戦後、高度成長期にさしかかった際、公害問題やベトナム反戦運動が高揚してくると、

「自分たちの戦後＝近代のあゆみは正しかったのか」

という反省が、学生たちを近代批判や日本浪曼派研究へと向かわせた。こうした時代情勢の渦中で、ドーク先生もまた学問を始めたものと思われる。

彼らが大学教員となった八〇年代から九〇年代当時、ひどく印象に残っているのは、多くの研究が完全に「ナショナリズムの克服」、つまり批判を意図してなされていたことである。国家批判が下火となって、むしろ国家の役割がクローズアップされるようになるのは、日本では僕らの世代に属する。たとえば、僕がフランスに留学した当時、話題になった本の一つに萱野稔人氏の『国家とはなにか』（以文社）があったが、二〇〇五年に出版されたこの本の受け入れられ方は、ナショナリズム研究の分水嶺になったと思われる。なぜなら当初、この本は「国家とは暴力装置のことであり、批判され、乗り越えられるべき悪なのだ」という従来の文脈で受け入れられていた。しかし著者の萱野氏自身はそれ以降、およそ反対の主張を展開していったからである。

僕の理解では、萱野氏はある意味で単純なことをいっている。フランスに留学し現

代思想を研究すると、フランス本国では、国家それ自体は否定的に研究などされていないという事実である。そうではなく、人は否応なく国家に属し、国家という単位で物事を考え、また家族親族など近親者により親しみを感じること、これらは人間の普遍的な事実である。この常識を前提に、国家という困りものをどう調停し、うまく使いこなすかに彼の興味はあるように思われた。ある日、萱野氏と会う機会があり、しばし話し込んだとき、僕なりの理解をぶつけてみたが、彼はおおむね同調してくれたようだった。意外にも、萱野氏の卒業論文は和辻哲郎の倫理学を批判した戸坂潤だったそうで、今では和辻倫理学のヘーゲル解釈につよく惹かれているとのことだった。

こうした僕の個人的な体験を、ドーク教授の研究室で話していた。またそんな雑談の中で吉本隆明に話が及び、二人の間で、ちょっとした混乱が生じた。

僕が「信仰」という言葉をつかって吉本の戦争体験を説明し、

「要するに日本人は国家に対して強烈な信仰をもってしまった。だからその信仰の意味を問いただし、『なにかを信じすぎる』ことから抜け出る方法を模索した思想家なのですよ」

というと、これを聞いたドーク教授は、

「それなら我々はいったい、どこに行くのですか」

と詰問してきたからである。僕は答えに窮した。それは信仰という言葉に対するリアリティの違いが原因だと思われた。篤実なカトリック信者であり、しかもアメリカから宗教が奪われれば奪われるほど、人種や移民問題が顕在化し、「分断社会」を生み出してしまうとドーク教授は常々、主張していた。

個人的な信仰にくわえ、母国アメリカが肌の色から精神的一体性まで全てがバラバラに解体し、荒んでいくことを、彼は深刻に憂慮している。彼が日本浪曼派の研究から出発し民族問題に関心をもちながら、その後、「近代の超克」座談会に出席していた戦前のキリスト教学者・吉満義彦に興味をもち、また田中耕太郎をつうじてカント哲学の普遍主義を称賛する背景には、なまなましい問題意識が付着していた。普遍的理念への信頼がなければ、今、眼の前にあるアメリカ社会は瓦解してしまう。民主主義を信じてきたはずの母国はポピュリズムと化し、砂団子がバラけるように国家は解体してしまう……。

対する僕のばあい、宗教意識が希薄なことにくわえ、日本社会がアメリカほど解体・分断していないので、他人事のように信仰という言葉をつかっているのだろう。

僕は、「吉本のばあい、宗教問題は親鸞を研究することになったのですよ」と説明することで、そのときには、話を曖昧にそらした。

それからしばらく後、ドーク教授から改めてぜひ自分の講義で話をしてくれないかとのメールが届いた。先も書いたようにドーク氏は敬虔なカトリック教徒であり、ジョージタウン大学はアメリカ最古のカトリック系大学だったから、日本学の主任教授をすると同時に、彼は神学も教えていた。その講義で九月五日までのおよそ二週間、まずは日本の神道思想について講義をする予定だというのである。そこで僕に話をしてほしいと頼んできたのだ。吉本の話のあと、自分は直接神道について詳しくはないが、卒業論文で取りあげて以来、江戸期の国学者・本居宣長については多少文献を読んでいると伝えてあったのだ。

ドーク教授から事前に渡された資料は、「神」の定義を西洋の god で代用することは極めて難しいこと、そのうえで山崎闇斎（あんさい）と本居宣長の神の定義をとりあげ、それに西洋の神学研究の功績をふまえて言及した論文であった。日本国内の思想史研究との目立った違いは、宗教学と人類学、言語学の功績がいずれも広く踏まえられていることで、「神」の定義を、アイヌ民族や大陸の遊牧民族の言葉との比較や影響から論じた部分もあれば、それを宣長と比較するという日本ではあまり見られない研究方法がとられていた。

この論文を事前に読んできたことを前提に、講義が行われるのである。

講義は一二時から一二時五〇分で行われる。意外に短いのは、日本の大学のように一〇〇分で一講座という考え方とは違って、五〇分を二度にわけて一週間の間に二時間行い、一講座と考えるからである。僕は前日にわたされた論文にコメントをするように求められていた。深夜までかけて論文を読み込んだとき、この論文は非常によいできだが、江戸時代の思想家・山崎闇斎と本居宣長の違いなど、基本的なことを恐らく学生たちは知らないだろうと思い、簡単な紹介文を準備した。また個人の内面の問題や、崇高とは何かなどを論じる神学論では、国学の本質にある「ナショナリズムの問題」を論じることができないと思った。

つまり日本で「神」の定義をするばあい、ナショナリズムに関係する側面と、あくまでも個人の宗教的信条に近い存在として論じること、この二つの区別をしっかりと説明してあげることが大事だと思われたのである。

またそれに関連して、和辻哲郎が『日本倫理思想史』という著作の序章で、『古事記』に独自の解釈をくわえながら、「神」を二種類に分類し、定義できると考えていたことも思い出した。深夜の蛍光灯のしたで、どんどん話したいことが頭の中に湧きあがって来ることに興奮し、それを英文にしながら急いで書き留めた——。

和辻哲郎という日本を代表する倫理学者がいる。彼は第二次大戦をはさんだ近代に生きた人物で、日本に存在する様々な神が、大きく二種類に分けられることを発見した。「祀る神」と「祀られる神」のことである。前者は自分よりも上位に存在する神によって、自らを権威づける存在であって、究極的ではない。一方で「祀られる神」の方は、自分自身で権威を発現する神のことである。この神分類は、非常に大きな影響力を持った。たとえば、日本の著名な政治学者に丸山眞男という人物がいる。彼が戦前の日本をファシズム国家であるとし、批判した論文「超国家主義の論理と心理」の中で、ファシズム下の天皇制を分析する際に、和辻のこの定義を利用した。つまり、日本の神は個人の内面や信仰の問題だけではない。ナショナリズムやファシズムなど、政治思想とも深いかかわりを持つものなのだ――。

僕は未明になるまで、講義で与えられた時間に話したい内容を整えることに没頭した。

講義自体は、四〇名ほどの学生を相手に講義をし、質疑応答の時間を設けるかたちで行われた。資料の内容は日本の大学の講義にも堪えうるものであったが、実際に学生たちは資料をおどろく程きちんと読み込んできた上で、質問を行った。黒人や白人、アジア系といった分類だけでは不十分で、実に多様な学生がいた。同じ黒人でも体格の違いから明らかに出身が異なることがわかったし、アジア系でも東アジアから東南アジア系にいたるまで、日本の大学の教室とは全く異なる風景がそこにはあった。「物おじする」という言葉を知らない彼らは、教師である僕に自己主張するだけでなく、他の学生の意見に異を唱えることも平気であった。講義が終わった後にも、僕は数名の学生に囲まれ、質問を受けることになった。

その後、心地よい疲れを抱えて学食で昨日同様のバイキングを食べ、自分が言い足りなかったことを反芻するために、学生たちに交じってホールの机に座り、ノートを開いた。講義は火曜日にもまた行われるから、補足の説明をすべきだと思った点を書き残しておいた。

□
□
□

九月に入り旅程の半分を越えたので、午後からは気分を変えようと地下鉄を乗り継ぎ、日本食を売る小さな店を訪れた。

そこで久しぶりに買ったサッポロビールの味があまりにも日本でのものと違っていて驚かされた。明日の午後からの二度目の講義準備のために机に座り、ビールに口をつけた瞬間に違和感がきたのである。

僕は毎晩酒を飲むタイプの人間で、まずはビールから入る。短期出張である今回は外食ばかりになるのだが、多くのばあい、夕飯はマリオット・ホテル一階のバーかポトマック川のほとりにある日本食レストラン「金太郎」で済ませていた。サンフランシスコ滞在中から様々なビールを試していたが、最終的にはボストンの地ビール、サミエルアダムス・ボストン・ラガーに落ち着き、バーで毎晩飲んでいた。濃い目の色合いと、何より香ばしさがいかにも地ビールといった味わいで、これまで試してきたビールの水っぽさとの違いが際立っていた。サンフランシスコ滞在中に、比較的価格が高いのに、味は軽いと思って最初に驚いたのは、バドライトというビールで、しかしこれはアメリカではかなり一般的に飲まれているようであった。今日、久しぶりに飲んだサッポロは日本で飲むそれとは大違いで、やはり全く深みがない。後にそのことをドーク教授に話すと「水が違うからですよ」といわれてやっと納得した。アメリカで日本のビールといえばサッポロばかりなので、金太郎で寿司をつつきながら数回飲んだが、サミエルアダムス・ボストン・ラガーには及ばなかった。寿司も米が違うから全く砂を噛むような味気無さで、日本の寿司とビールへの恋しさだけが募った。

　ところで、僕が今、机に広げて読んでいる講義用の資料は、John J. Keane 著 "*Cultural and Theological Reflections on the Japanese Quest for Divinity*"（未邦訳）である。仏教渡来以来の神道の歴史を概観したもので、大学の教養課程で日本思想を学ぶにはちょうどよい入門書であるように思われた。北畠親房がナショナリズムを意識した最初の人物であり、吉田兼倶の唯一神道は、仏教や儒教を総動員して独自の神道理論を構築したこと、また当初、神道は、仏教の本地垂迹説を容認していたが、次第にそれを拒否する傾向を示すことで思想を形成してきたことなどが書かれていた。

一方で、ザビエルの来日以来、キリスト教布教による植民地化はつねに警戒され、特に徳川時代になると完全に拒絶されるようになり、結局、一度も本格的に神道思想に影響を与えることなく過ぎてきた。しかし宣長の弟子である平田篤胤（あつたね）になると、キリスト教を動員してまで世界観を築きあげ、神道の説明に利用し、強烈な日本の自己主張を用意した――。

基本といえば基本ともいえる文章を通読しながら、僕は次第にある感慨にとらわれていた。こうした基本的な日本思想史を読むのは、久しぶりである。だが、この英文に横溢しているのは、アメリカとは異なり、ゆうに一〇〇〇年以

ビールを飲みに通ったワシントンのパブ

上の歴史をもつこの日本という国家が、つねに、普遍的な価値との接触と緊張に見舞われてきたという事実である。僕は、日本の歴史を学んだ者なら誰でも知っている空海と最澄について英文で、

「彼らは日本の宗教改革を行うために、中国に派遣された」

というごく当たり前の部分を読んだとき、新鮮なひらめきにとらわれた。そうだ、僕がもし、かつての日本人とつながることができるのだとすれば、僕たちはつねに圧倒的な哲理を振りかざし迫ってくる普遍的な価値、われこそが世界の「常識」を設定する存在であると主張する者に対応してきた、ということへの共感以外にはないだろう。

大きくいえば、その際、日本人は三種類の態度をとってきたはずである。第一に普遍的な価値を主張する側に身を委ね、外来思想をふりかざす者。日本を外側のものさしで評価し、容易に外来思想に自己同一化できた彼らは、つねに「正しい」側に身を置いてきた知識人たちである。

第二が、普遍的な思想の到来を拒絶し、内部へと潜り込んだ人たちで、攘夷思想の持ち主たちのことである。未知のものに出会ったとき、ひとが取る対応はまずこの拒

絶であることが多いものだ。彼らは自己の殻を閉ざし、他者と接することを拒絶する。変化を拒み、世界と出遭わないことで、自らが傷つくことを回避する。ここでもまた彼らは、第一の者たちと同様、自己同一性を棄損されることはない。

そして第三の類型こそ、日本に独自の思想を生みだすことに成功した思想家たちに他ならない。彼らは普遍的価値と従来の日本の価値とのあいだに引き裂かれ、深刻な自己同一性の「危機」を感じ取った。その危機感が、

「自分とは何者なのか」

という実存的な問いと、

「日本とは何か」

という公的な問いをつなげることを可能としたのである。この亀裂をあゆむ苦労を言葉にすることこそ、日本に独自の思想を生むことを可能としたのである。

ところで、こうしてアメリカの地で、拙い英語という普遍語を駆使し、自己主張を行うことを強いられるのは僕だけではない、アメリカに渡った大半の日本人が経験することである。一方、アメリカ国民がこの経験をすることはない。いや、あるいはアメリカを移民の集合体だと考えれば、多くの一世の者たちは、英語という文化圏にそ

れぞれの努力で居場所をつくり、日本人同様、普遍と格闘してきたのかもしれない。そして子供の世代を住みやすくしたのがアメリカだということになるだろう。

しかし日本は、これまでもそしてこれからはさらに大国・中国とアメリカが、思想の分野ではドイツとフランスが、つねに最先端であり正解を用意してくれる国家としてあるのだろう。僕たちはその「正解」を信じ切った知識人として生きるのか、逆にその「正解」に疑問を感じ、精神を疲弊させながら自己とは何かを問う思想家になるのか、あるいは殻を閉ざすのか、いずれかの生き方をしつづけるのだろう。

二度目の講義の時間中、おおよそ以上のような普遍的価値と日本文化についての感慨を英文で説明すると、意外なほど反響があった。神学に関する講義で、僕は間借りをするようなかたちで話をしたのだが、神道のなかに仏教、儒教、キリスト教といった普遍宗教がどのように流れ込み、それが日本人の精神にどのような「軋み」を与えたのかを分かってほしかった。それが意外に成功したことがうれしかった。

それはもしかしたら、最終三度目の講義で、少し挑発的に、

「では、アメリカ人であるみなさん自身は、こうした普遍的価値に襲われたことがあるだろうか」

と問いかけた結果だったのかもしれない。多様な人種の学生たちは、神道と宗教を区別すべき、という日本でもしばしば聞かれる政教分離や国家神道についてもよく理解したし、仏教が本地垂迹説として一時期威勢を張ったものの、次第に衰微し、神道が自らの姿を形作っていくことも正確に理解した。

もし日本の大学で同じ講義をしたら、神道を、無意識の前提、すなわち「君たちの文化の背景」をなしている思想の特徴なのだと説明し、みながきょとんとして興味を示さない様子に、現在の大学教育のレベルを嘆き、説教する、ということになるはずだ。

だとすると、今、目の前にいるアメリカ人、あまりにも人種の異なる国際的（？）な彼らの方が、よほど日本の文化と思想について学ぼうと、深く考えようとする姿勢が強いのである。しかも進路の最終選択前の彼らは決して日本学を専攻しようとする者たちではない。つまり彼らは日本文化というより、文化そのものについて、自分の血の中を流れる出自とは何か、自分を構成する無言の蓄積はいったいどこにつながっているのかについて敏感だということだ。「アメリカ人」の大半が、今、ここに住んでいること自体が選択の産物であり、自明ではないからこそ、意識的に文化に眼をむける。日本人のようにぬるい湯に浸かるように住み続け、文化に抱かれている人間は、自ら自身を問う場面に出くわしにくいのだ。

だから僕自身のように、日本思想を意識的に学び、ルーツを問う者は、精神においてアメリカ的なのかもしれない。つまり戦後日本という場所における、移民なのかもしれない。

講演会の日

そういえば、アメリカはここ数日、天気予報でハリケーンのことばかりしゃべっている。よく聞いてみると、過去二番目に巨大なハリケーンが近づいているのだそうで、すでに隣国の島国プエルトリコは壊滅的、いよいよフロリダ州に上陸して猛威を振るっている。

北東部に位置するワシントンDCで、なぜ最南端から北上するハリケーンに神経をとがらせているのか、と不思議に思っていたが、とにかく規模が桁違いらしい。日本でも最近、台風の被害は大規模化しているが、大きさ自体が比較にならない。トランプ大統領も対策にのりだす姿勢を積極的に示しているが、そのわけは二〇二〇年一一月の大統領選にあるようだ。かつてブッシュ大統領がハリケーン対策に失敗し非難を浴びたからである。ただ、首都ワシントンＤＣに影響がでるのは、明日以降のことらしい。今日はその前兆で、朝から生温かい曇り空になっている。

昨日の酷暑が嘘のように過ごしやすく、背広姿の僕としてはありがたい。今日は午後一番で依頼されていた講義の三回目をこなし、その後、夜になってからＤＣの産業界にむけての講演会、いよいよＳＵＳＨＩ会講演が控えていた。

昨日は想定問答づくりに追われていた。日本関係の企業と実際に仕事をし、日本通でもある四、五〇人を前に行う講演は、まずは軽食を取った後、僕が「デモクラシーとは何か」と題し、四五分ほど講演をし、質疑が一時間ほど行われる予定になっている。アメリカは大学の講義でもそうだが、非常に質疑に時間を費やし、しかも議論は活発になる。日本の学会のように、質疑は一〇分程度、しかも質問者が「私はこの方面は専門外で変な質問をするかもしれませんが……」などと長々と前置きをすることなど、この国ではあり得ない。学生たちですら未知の課題に対して、臆することなく手を挙げる。アメリカで自己主張は当然の権利である。だから講演会での質疑は、きっと激しいものになるだろう。

夕方、僕はドーク教授と大学前の正門で落ちあいタクシーを拾い、会場を目指した。地下鉄のデュポン・サークル駅の前をとおり、少し南に下ったところが、今日の講演会場となるGlobal Taiwan Institute（グローバル台湾研究所）である。前日には下見をかねて、この地下鉄の駅から一〇分程歩いた場所にある日本食材の店「はな日本食品店」に散歩にきていた。カップラーメンの味すら、すでに恋しくなっていたし、店主の女性が、いかにも日本人らしく小柄で細身だったことに安堵を覚えた。日本語が飛び交い、近く日本に戻って来るなどという親しげな会話が飛びかっているところを見ると、この周辺に日本人街のようなものがあるのだろうか。

ところでGlobal Taiwan Instituteは、その名のとおり台湾関係の団体が運営する会場で、副支配人がＳＵＳＨＩ会の中心メンバーの一人だということから、今回、会場提供が行われたらしい。美しい街路樹の中に、小綺麗なレンガ色の建物がひっそりと佇んでいる。数段の白い階段をあがると、すでに会場の準備は整っているらしく、主催者のマニーと、副支配人のジェニファー・フー（Jennifer Hu）が待ち構えていて歓迎してくれた。

室内に入ると、水と炭酸飲料がずらりと並べられ、その横に“Bento”（弁当）が人数分用意されていた。弁当の形をしているものの、内容はこれまた牛肉弁当でアメリカであることに変わりはなさそうだ。すでに数人のビジネスマンらしき人たちが談笑している。ドーク教授に改めてマニーを紹介され、この会の来歴などを聞くことができた。二か月に一回、もう五年目になるというこの会には、これまで数名の日本人政治学者なども登壇したと言う。名前を聞くとテレビでもよく見かける、著名なアメリカ政治学者だとすぐにわかった。

一番奥の席に座ってから気づいたことだが、参加者の年齢層がとても若い。二〇〜四〇代を中心に組織した若手勉強会といったところだろう。後で受けた紹介では、台湾大学からの留学生が数名いて、きらきらとした眼を輝かせながらも、少しはにかんだように挨拶してくれた。

幹事役のマニーは、Japan Automobile Manufacturers Association（日本自動車工業会）に勤める日本通である。彼とは事前に今日の準備のためのメールをやり取りしていたこともあり、初対面であるもののすぐに打ち解けることができた。テーブルの中央に日本とアメリカの旗を交差させ、そのまわりを囲んでみなが座り、弁当をつつきはじめると、明るい女性の声がして僕の左側に腰かけた。声の主のフィリップは同志社大

学に留学経験がある、とても魅力的な黒人女性だ。誰とでも打ち解けられる性格だとすぐにわかる口調で、

「私は以前、日本財団のアメリカ支社に勤めていたから毎日日本語を話していたの。でも今はもう日本語を話す機会がめっきり減ったから自信がないわ。本当に宮崎アニメは大好き。特に『風の谷のナウシカ』がいいわ」

といいながら名刺を差しだしてきた。そこにはInternational Technology and Trade Associatesとあり、そこで現在はアナリストをしているという。彼女のお陰で何となく入りそびれていた会話の中に僕は入っていくことができた。

この後の旅程を聞かれたので、例のアムトラックによるDCからサンフランシスコまでの横断計画を話すと、賛同してくれたのはフィリップのみで、他の者は口々に「それはきついぞ、なぜそんな無謀なことをするのだ」と嚇かされた。僕は律義に明治時代の使節団の話を手短にし、同じ苦労をしてみたいのだと語った。でもマニーは納得してくれず、

「日本の鉄道網とアメリカを一緒にしてはダメだよ。アメリカは車と飛行機の国だから、鉄道はダメなんだ。乗り心地の悪さに辟易すると思うよ」

といい、右隣にいたドーク教授は、

「アムトラックに乗車する前にはきちんと食糧を買っておかないとダメだ。あと護身用に銃も携帯しておかないと。車内でなど碌なものは売っていないから。売っているといって売っていないのがこの国なのだ」

といい添えた。これはドーク教授一流のジョークで、要するに、日本通の彼は日本のあまりに心地よいサービスを称賛し、アメリカを最大限に皮肉っているのである。

会が始まるにあたり、副支配人のジェニファー・フーが立ち上がり、この会の趣旨説明を滔々と述べはじめた。日本を専門とする国際弁護士でもある彼は、聡明であることはすぐにわかるクリアーな英語で、二〇一六年に設立されたばかりの若い団体であること、セミナーなどを積極的に行い、偶然であるが来週、台湾とアメリカの将来を考える大規模なシンポジウムを控えていると紹介した。ウェブサイトで順次、団体の活動を紹介しているのでアクセスして欲しいといって会場の説明を終えた。滔々と、と書いたのは彼の挨拶が通り一遍のものではなく、熱いメッセージに満ちていたからである。それはアメリカの地に、今確かに「台湾」が存在することを意識させるものであった。

僕は一瞬、自分がこれから講演することを忘れ、彼の演説に聞き入った。彼の演説の中には、色も形もはっきりした台湾という国家像があるように思われた。より正確にいえば、若々しさに満ちた若者に「国家」が海外の機関の副支配人の要職をあたえ、彼は必死にその重みを引き受けようとしていた。異国の地で台湾の地位を高めるために自己主張することを、彼は義務として負っている。それは有無をいわさぬ緊張に満ちた職務なのかもしれない。台湾に生まれ、優秀な頭脳を持った者は、宿命として自らの才能によって台湾を支えなければいけない。なぜならそれを怠れば自らの出自が否定され瓦解するから。彼はそのように感じ、その負担を誇りをもって背負っているように見える。

新型コロナウイルスの感染拡大前後の、中国のはげしい香港に対する規制強化と、台湾の警戒心をしった二〇二〇年夏の時点からみると、日本学にまつわる講演に台湾の団体が会場提供したのは、日台関係を強化したいという思惑があったからであろう。それくらい台湾は、自らの立場を世界で、すなわちアメリカの地で説明することを日々、課されている。その先頭に日本を専門とする弁護士が立っていること自体、台湾の日本への注目と期待をうかがわせるに足るだろう。

自己紹介がはじまると、日系企業のアメリカ法人関連の人、米中関連の商社マン、テレビ局のワシントン支局長、台湾の新聞社関係のこれまた支局長など、錚々たる顔ぶれが見えた。

改めて少し緊張した僕は、自己紹介を促され、

「……以上のように、僕は日本のことが専門なので、みなさん、ぜひ英語での質疑はゆっくり話してください！」

と冗談をいって、講演をはじめたのである。

□ □ □

1、自己紹介

みなさんこんばんは。今回、お招きいただいたこと、そして最近日本で何が起きているのかについて説明する機会をいただいたことに、大変感謝しています。

先ずはじめに自己紹介をさせてください。私は東京にある日本大学で教授をしています。八月一九日から一か月ほどアメリカに滞在していますが、それは現代日本の分

野を学びつつ、諸外国の状況にもずっと興味を持ってきたからです。だから一二年前になりますが、私が博士課程の学生だったときに、フランスに一年間の留学もしています。

私がケヴィン・マイケル・ドーク教授にはじめてお会いしたのは、わずか二か月前のことですが、実は数冊の著作をつうじて一〇年以上前から知っていました。その中で、先生は日本の近代化と一九三〇年代の日本のナショナリズムを、明治時代のそれと比較して論じていました。なので、私の友人の一人が先生と親しいと聞いたとき、私は、ぜひ先生を紹介して欲しいと頼みました。

そして今回、ドーク先生のお招きで、ジョージタウン大学の東アジア言語文化学部の訪問研究員になることができました。お礼をいいたいと思います。

ところで、ドーク先生は、これまで一九三〇年代の日本のナショナリズムを研究され、最初の本として『日本浪曼派とナショナリズム』を一九九四年に出版されました。明治維新以来、西洋文明からの深い影響を、日本は近代化の過程で受けました。一九三〇年代になると、日本は中国と戦争状態にありましたが、近代化のプロセスは外交紛争だけでなく、政治制度や経済システムなど、構造的限界があることが明らかになっていました。

周知の一九二九年の金融恐慌は、資本主義の限界を示唆していましたし、日本国内で起きた最も深刻な問題の一つは、武装テロリストが一九三六年二月二六日に東京で政治家を殺害したことでした。それは民主主義の崩壊を目撃させ、第二次世界大戦へと決定的に私たちを導く事件でした。いいかえれば、これらの不幸な出来事が、われわれに「近代それ自体」を問い直すことを強いてきたのです。

もちろん、今日は日本の歴史それ自体の話をするつもりはありません。しかし、私たちは当時と同じような課題を抱えているのではないでしょうか？　つまり「近代社会」は、様々な部分で閉塞や限界を露わにしている。日本人だけでなくアメリカ人もまた、二一世紀の社会構造の限界を前にして、困惑しているのです。

一方で、ここ数年ドーク先生が出版された数冊の本は、現代日本社会の可能性と限界をよく理解するための鍵を与えてくれています。私は自分の研究や著作でも、日本社会が直面している問題の核心に近づくことを試みていますし、また同時に、若い政治家や官僚と頻繁に議論することもしています。

さて今から、私は、最近の日本で起きた二つの具体的な出来事を診察する医者になろうと思います。それはアメリカとの比較に私たちを導くでしょう。現在の日本を知るためには、アメリカと比較検討せねばなりません。その結果、この分析が効果的で魅力的な解決を与えてくれることでしょう。

2、「民主主義」とはなにか

ここ数年、官僚が引き起こしたいくつかのスキャンダル（不祥事）は、テレビやインターネット、そして新聞を通じて人々の注目を集めただけではなく、さらに大きな論争を巻き起こしました。たとえば財務省のばあい、財務事務次官の失言による権威の喪失は、最終的に彼を辞任にまで追い込みました。もちろん、こうした出来事は、芸能界ではとてもありふれたことですが、しかし一方で、政治的事件と芸能のそれと同じものとみなすのは、適切なことではないと私は考えています。現在の日本では不幸なことに、官僚は何をなすべきなのか、といった議論を冷静にすることは不可能なのです。

すると、次のような疑問が湧き上がってきます。なぜ「われわれ日本人」は、官僚が存分に仕事ができていないと連日、批判ばかりしているのでしょうか？

この疑問を解くためにも考慮しなければならない背景として、メディアにおける現政権それ自体への評価があります。しばしばいわれることですが、安倍晋三内閣総理大臣は六年以上にわたり政権の座にあり、彼が在任期間歴代最長になることは、ほぼ確実であると私たちは確信しています。二か月前の七月二一日に、参議院議員選挙が行われましたが、いつもどおり野党は与党自民党に敗北を喫しました。

もしみなさんが、この選挙結果に賛同できないとすれば、何をすべきなのでしょうか？ つまりこの結果を考慮しつつ、いま、どうすれば政権交代が実現できるのか。

もう一度、先に言及した不祥事に注目する必要があります。二〇一四年に行われた公務員制度改革の結果、総理大臣は、官僚の個人的な評価に影響を与えられる絶大な権力を手にしました。この制度変更は、官僚たちに総理大臣の方針を前もって推測させることを強い、総理が満足するような書類を提出させるものでした。この汚職事件は新聞で取り上げられ、批判の対象となりました。当時、私たちは呆れるほど「忖度」という流行語を聞きましたが、それは総理と官僚との関係を批判することを含んでいたのです。

同様に、政府批難に関して、もう一つの流行語が日本中を席捲しました。「民主主義とポピュリズム」です。この社会政治的な流行現象はわが国だけではなく、世界中、とりわけアメリカにおいて起こりました。よって、この現象のより深い核心に迫るためにも、私たちは、両国を比較する必要があるのです。

トランプ大統領誕生の日本での最も一般的な見方は、次のようなものでした。「彼はメキシコに壁を作るといい、差別発言も多く、当選するはずはない」。国際政治が専門の大学教授までもが、ヒラリーの当選を予想し、テレビの取材コメントをしていたくらいです。しかし、実際はトランプになった。理由は、民主主義がポピュリズムになったからだ、これが日本での理解でした（後半で、もう少し正確にトランプ現象を取材した日本の新聞記者の話をいたします）。ほぼ同時期に、イギリスが国民投票の末にEU離脱を選択したことも、ポピュリズムの象徴だといわれました。つまり、「民主主義」は健全さを失い、堕落し、大衆迎合主義になったのです。

この世界的な流行をふまえて、日本にこれを当てはめようという動きが起こりました。安倍政権が、アメリカとの共同防衛の強化をめぐって集団的自衛権の閣議決定を行おうとしたとき、批判が起こりました。連日、国会前でデモが行われた。その際、

デモ隊がしきりに主張したのは、

「私たちの行動こそ、民主主義である」

というものでした。これを肯定する左派系の新聞は、連日この行動を報道し、デモ隊の若者は英雄あつかいをされました。一方で同じ新聞やマスコミが、先のトランプ大統領の出現を踏まえて、さらには何回選挙をしても安倍政権を肯定する国民を見て、

「今、日本の民主主義は堕落しポピュリズムになった。だから安倍政権を倒せないのだ」

と主張しはじめたのです。

なぜ私が驚いたのかというと、同じ「民主主義」という言葉をめぐって、混乱が生じていたからです。デモ隊は、自分たちこそ「民主主義者だ！」といって安倍政権を批判している。一方で、新聞は「安倍政権を支えている多数の国民はポピュリストだ。民主主義は駄目である」といっている。つまり政権を批判するために、左派側は「民主主義」という言葉を、肯定と否定の正反対の意味をもって自分勝手に使っているのです。

私がこの問題にこだわるのは、一つには私自身が二〇一一年の東日本大震災を直接

経験したことにあります。「直接」とは、当時私は「フクシマ」県の大学に勤務する教員であり、フクシマ原子力発電所事故の直接の被害者だったからです。実際にフクシマ第一原発から最も近い大学に勤務し、家族全員で避難をして五年間にわたり、埼玉県から福島の大学に単身赴任をしていました。その経験が、日本人が安易に集団化し、ある一人の人物を悪者として祭り上げ、批判し、デモ行進することへの違和感を覚えさせたのです。

しかしそれだけではありません。個人的体験以外の理由もあります。

つまり改めて、安倍政権は本当にトランプ政権と同じ「ダメ」な政権なのでしょうか？　またそもそも、トランプ政権とは日本から見たばあい、いったいどういう特徴があるのでしょうか。また、デモの中心が若者だったことは何を意味するのでしょうか。政治に無関心といわれる日本の若者たちは何をいいたかったのか。

以上の疑問を解くために、「グローバル化とＴＰＰ」の問題から見てみたいと思います。

3、グローバル化とTPP

数年前に遡りましょう。二〇一一年に日本では二つの出来事がありました。一つは東日本大震災が起こったことであり、もう一つは、TPPに参加するかどうかをめぐり大きな議論があったことです。私はTPPには反対の立場をとってきました。その理由は、もし参加一〇か国をGDPの観点で比較したばあい、アメリカと日本で九〇%を占めることになります。そのほか八か国の経済規模はきわめて小さく、それらの国々は、輸出の割合が高く、一方で国内市場がとても小さいことに特徴があります。したがって、たとえ日本がTPPに参加を決意しても、以前よりも市場拡大を期待できるのは、アメリカだけということは明らかなのです。同じ条件はアメリカにも適用できます。TPPとは、実は日米間のFTAなのです。

ここでTPPの危険性を指摘するために必須のいくつかの要因を考察することは、有意義だと思われます。それはグローバリゼーション、とりわけ新自由主義経済と規制緩和の危険性です。しばしばいわれるように、新自由主義経済は大きな収入格差を生みだしています。いくつかの報告は、いかに収入格差が生まれたのかについて、焦点を当てています。とりわけアメリカでは、自動車産業がグローバル化によって引き起こされた衰頽の象徴だとされています。これはアメリカ経済が、製造業からＩＴ産業へと根本的な構造転換をしたことの証左です。二〇〇八年九月のリーマンショックは、不況と格差を決定的なものとしました。

よって、たとえアメリカがＴＰＰに参加したとしても、市場を開放することは受け入れられないということが予想されます。反対に、アメリカは日本に国内市場の開放を求めてくるでしょう。同時に他の国々も、日本に市場開放を求めてくるでしょう。さらには、あらゆるものが通商障害とみなされるようになり、安全保障や保険制度、医療制度などが障害に含まれることになる。アメリカにとっての障害を取り除くことは私たち日本人がつくりあげてきた生活スタイルの変化を余儀なくされることを意味するのです。

ここでアメリカを批判すると同時に、九〇年代以降の日本自身の行動にも注目すべきです。

日本はすでに市場開放しているにもかかわらず、二〇〇〇年代に入りさらに開放を加速させました。私には、なぜ日本政府が市場を自ら進んで開放しようとするのか、理解できませんでした。たとえば、資本力がある流通業者による大型ショッピング・モールができた結果、小規模店舗が廃業し、非正規雇用が激増することになりました。典型的なのは駅前の「シャッター街」で、毎週末多くの人は郊外のモールで一日を過ごすし、平日は充実した駅ナカ・駅地下で買い物を済ませてしまう。そのため駅周辺の店は軒並み閉店へ追い込まれてしまったわけです。

こうした日本自身によるアメリカ型の生活スタイルの過度の導入は、社会全体の流動性を加速させてしまった。TPP締結をめぐる動きの背景には、このような日本自身によるアメリカ化の加速があったのです。

しかしTPPについての結果は、完全に予想外のものでした。最終的にトランプ大統領の側が、TPPからの離脱を決定したのです。我々は驚きました。

もちろん、現在でも日本の産業を牽引している中心は、自動車産業です。しかし急激な非正規雇用の増加は、トヨタの最高益がでた日のもう一つの面を示しています。またIT産業の成長が遅れているので、日本にもシリコンバレーのような産業都市をつくる必要があるとしばしば耳にします。渋谷駅周辺の再開発が、アメリカ西海岸への憧れで行われていることが典型例だといえるでしょう。

しかし私は、この「自由化の嵐」に明確に反対します。

確かに日本社会は流動性を増し、新しい市場が生まれるでしょう。しかしこの流れは正社員の数を増やすよりも、むしろ不安定に陥っていくのです。

ここで先に私が話した三つの出来事を思い出してください。第一に二〇一一年三月に東日本大震災がありました。それを受けて、若者を中心にデモが起こり、デモクラシーは危機に陥っていることを見てきました。そして二〇一八年なると、官僚の不祥事があり、批判とバッシングの嵐が吹き荒れたことも指摘したとおりです。

これらの例から明らかなのは、多くの日本人は、今、「不安」に直面しているということです。いいかえれば、古い社会体制が解体した結果、日本人は砂粒のように個人化したのです。結果的に、私たちは不安から一時的なつながりへの強い欲望を掻き立てられます。これが若い人たちが、デモに参加する理由です。一方で多くの若者は、安定を望んでいます。たとえ野党を政権の座につかせたとしても、社会は安定するよりも、むしろ分裂を生み出すからです。これが安倍政権が野党に勝利しつづける理由なのです。

特定の官僚や政治家、大企業などを批判するのも、ある種の不安のためで、誰かを敵としてお互いにつながりあおうとするのです。東日本大震災と福島第一原子力発電所の事故が、日本人の不安をより一層具体化したことはいうまでもないでしょう。

以上のように、現在の日本はアメリカと同様のグローバル化にくわえ、日本国内の自然災害の影響もあって、不安定になっています。自分たちの不安を見ないように、攻撃的になりつつあります。

そして私たちと似た諸問題を解決しようと試みた時代がありました。本日ご紹介した、ドーク教授が専門とする一九三〇年代こそ、人々の不安がピークに達し、「近代」が袋小路に入った興味深い時代なのです。

くり返しになりますが、今日、私は歴史的なことを説明、議論するつもりはありません。しかし注意深く現在の日本社会を見てみると、グローバル化は日本人から独自の文化である、寛容や忍耐を奪ってきたことに気づくのです。強調したいことは、アメリカも日本も今、独自の文化を自分自身で失いかけていることです。文化とは、自分自身の生き方の「リズム」のことです。そして物事を取捨選択するときの独自の尺度のことです。

アメリカでは現在、トランプに代表されるような、攻撃的で偏狭な部分をもった行動が多く、国内の分裂を利用することでアイデンティティを保とうとしている。私はこれがアメリカ本来の姿ではないと思います。私は日本もまた、本来の姿とリズムを取り戻してほしいと思っています。以上で私の発表を終わりにします。ありがとうございました。

□
□
□

開口一番、司会役のフィリップが笑顔で、

「実はミスター先崎がいきなりＴＰＰの話をしたのでとても驚いたわ。だって私は貿易アナリストだから」

といって一同大笑いするところから質疑ははじまった。マニーはＴＰＰ本来の姿は、オバマ政権時代にまで遡って考えねばならないといい始めた。

「本来、オバマ政権のときはアメリカのＧＤＰと雇用を増やすための外交政策だったんです。しかし実際に詳細な調査をしてみると、実はアメリカ国内の雇用やＧＤＰは思ったより増加しないとわかりました。そこでＴＰＰ推進の理由を変更して、中国リスクに備えるためだとしたのです。アジア太平洋の貿易秩序をアメリカが握ることを目指すことに変えたんです」

そしてマニーは意外なことを口にした。

「さらに僕なりにもっと勉強してみると、アメリカはすでにこれまでも小国にオープンマーケットを強いてきたのだ。六〇年代、七〇年代チリがそうで、僕の父親は一九七五年にチリから亡命してきたのだもの」

そうか、マニーもまたアメリカに移民としてやってきた二世であり、だからこそ典型的なアメリカ人であるともいえるはずである。この国は多様であることこそが唯一のアイデンティティの国であるから、そういえばマニーのような人物は、正統なアメリカ人である。出自の国との関係を人生設計に活かしている者もいれば、マニーのように日米関係に精通している者もいる。マニーはなぜ、日本に興味をもったのかしら。

彼が日米自動車工業会に所属しているように、今日、ここに集まっている者の多くが、グローバルな世界で戦っている企業戦士であることは面白い。僕の講演内容が、若くそして国際社会を股にかけるエリート層の彼らに複雑な思いをあたえ、刺激したのは間違いない。僕自身が最初から挑発するつもりで原稿をまとめたのだから当然といえば当然なのだ。

「私は中国が専門なんだけど……」

米中の貿易を仕事とする女性が、僕から一番離れた席から手を挙げて話しはじめた。

彼女は、ＮＡＦＴＡをふくめてＴＰＰもまた、各国が有効な対話を行うための手段として必要不可欠だと畳みかけた。簡単にいってしまえば、彼女は僕の主張する「反グローバル化」は、時代の流れからいって不可能だというのである。

僕はその通りだとしつつも、

「でも日本だけではなく、ここアメリカの地でも、すでに鉄鋼業や自動車産業が工場を中南米に移動し、雇用を失っているでしょう。そこに移民流入が追い打ちをかけてアメリカ社会を疲弊させ、格差社会になっているではないですか。それどころか、アメリカは格差社会ですらなく、いわゆる『アメリカ人』にくわえて、アメリカ社会に同化しない移民を最底辺に抱えてしまっている。社会秩序から零れ落ちているこうした存在は、『分断社会』アメリカを象徴していませんか」

と問うた。反グローバル化は不可能だという「事実」と、そうであってよいと開きなおることとは、全く別問題だと思っていたし、それをアメリカのエリート層に理解してもらうことが、僕の今回の発表の目的だった。

ここでマニーが、グローバル化の問題は政治問題にくわえて、ＧＡＦＡが牽引する西海岸の技術革命も考えるべきだといいつつ、

「でも確かにアメリカの若者はグローバル化と技術革新を支持しているけど、トランプは逆にアメリカ政府を代表してこれに反対する政策をとっている。海岸沿いのグローバル企業は、多くエリート移民で構成されているからね。この国内優遇の姿勢にたいし、実際、民主党はこの点を激しく糾弾している。アメリカでは共和党と民主党が、グローバル化の是非をめぐって論争しているんだ」

さらにマニーは畳みかけて、

「でも一方で日本が問題だと思うのは、二大政党制になっていないこと。『日本経済新聞』にしても『読売新聞』にしても、〝議論〟が行われていないように見えるんだ。草の根レベルでも、公開討論にしても何も話し合われていない。ミスター先崎はさっき『日本人は不安を抱いている』といったけど、それに政治はどう対応しようとしているのか。僕には全く見えないんだよ」

マニーの英語は聴き取りやすく、理路整然としている。

さすがに三か月に一回は日本に来ているだけあって日本の事情にもくわしい。少し安心した僕は、

「知っての通り、日本の若者もアメリカと同じくＩＴ革命を支持している。でも不思議に思うだろうが、同じ日本の若者の実に八割が、野党ではなく自民党支持者でもあるんだ。これは僕の考えだけど、これ以上何かが『変わる』と聞いた時、日本の若者は悪い方向へ変わると思っているんじゃないかな。だから現状維持を強く望んでしまう。……」

「さっきマニーがいっていたけど、ＩＴ革命によって人同士が簡単につながることができるようになったことは、やっぱりよいことなんじゃない？」

台湾からの留学生らしき若者が口を開いた。

「もちろん、そうだよ。でもね、物事は常に二つの側面から見る必要があると思うんだ。ネット社会になることで、僕らは今まで出会う予定がなかった多くの人と出会うことができるようになった。でもこれをもう一つの側面から見ると、本来、出会うはずのなかった人との出会いは、起こるはずのなかった文化摩擦、価値観の衝突を生むことにもなった。出会いはチャンスでもあり、一方で喧嘩のはじまりにもなってしま

うんだ。この両側面を見るべきだと思うよ」

大学の講義でも話す問題を、僕は整理してこう述べた。

次に意外にも、日本国内のデモにかんする質問は台湾人からではなく、二人のアメリカ人女性からなされた。やはりアメリカから見て、デモをする若者がいる国で、なぜ多くの若者は原発推進に傾きがちな保守自民党を支持するのかが分からないというのだ。ねじれているというわけである。

講演をするにあたり、民主主義的なデモに反対する僕の意見は、「政権寄り」に見えるだろうと分かっていた。とりわけ台湾人にとって、政権よりというのは中国の圧力を意味し、共産党に併呑されてしまうことである。だからここで僕は、眼の前の台湾人のためにも、きちんと日本のデモと香港や台湾のそれとの違いを説明する必要を感じた。

「今ここに集まっている多くの台湾の方にとって、デモとは、自らの地域に対する愛情、つまりナショナリズムに基づいていると思います。それは極めて美しく健全なものだと僕も思っている。

でも日本のばあい、注意すべきなのは戦後の歴史を振りかえることなんです。日本では、みなさんは驚くかもしれないけど、ナショナリズムと民主主義が対立する概念だということに注意をはらう必要があるんだ。この『事実』はたぶん、アメリカ人にも理解しにくいと思う。日本は第二次大戦への反省から、国家を重視すると、驚くべきことに『反民主主義的』な人間だと見なされてしまう。アメリカでも台湾でも、愛国者であることはリベラリストを意味するはずですが、日本では正反対という風潮があるのです」

「だから」と、僕は冷静につけくわえた。

「日本でデモをした若者が、香港や台湾の学生と交流した際、『日本は最も民主主義の進んだ国だ』といわれ、困惑を隠せなかったのです。日本のデモは国家のためではなく、むしろ若者のナイーブな自分さがしになってしまう。不安定化する格差社会問題に取り組むための冷静さを、むしろ削いでしまうと僕は思うのです」

このようにまとめた。

約一時間にわたる質疑応答の後、「ＳＵＳＨＩ会恒例の終わり方なので」といわれ、僕は日本を知るための推薦図書を教えるよう頼まれた。翻訳の有無を問わず、また政治経済人文の別を問わず、最新の日本理解を助けてくれる本を推薦する、というのがこの会を閉会するにあたっての恒例行事だというのである。僕はまず東浩紀氏を、同年代で幅広く活躍する論客として紹介した。彼の『動物化するポストモダン』は恐らく英訳されているはずだし、読みやすい。哲学的素養が多少必要になるが、と説明をした。また、ＴＰＰについて話をしたので、日本人の側からの反対論として佐伯啓思氏の著作を複数あげて、

「日本における『保守派』の立場の典型でもあるから、米国保守との立場の違いを意識しながら読むと、面白いと思います」

と付け加えて、講演を締めくくったのである。

その後、日本なら呑み会といったところであろうが、車社会のアメリカではそうした行事はなかった。ただ閉会後、名刺交換をかねた立ち話の中で、台湾の新聞の記者が、日本が台湾をどう見ているのかを知りたいと強く質問してきたこと、また日系のあるテレビの支局長から、

「ワシントンＤＣでの日本のプレゼンスは目立って落ちてきている。また積極的にこうした講演をする日本人が激減している。これからも積極的にアメリカに向けて日本を発信してほしい」

という好意的な言葉をもらい、ドーク教授とともに帰路についた。

□
□
□

ホテルの自室で一人、ささやかな打ち上げを終えた翌日、ドーク教授が改めて祝賀会を催してくれた。

祝賀会はドーク教授によれば、アメリカの二側面をお見せするというもので、一つはいつも通り午後一番の講義に出席し、学生たちの議論を聞いた後、その足で大学構内にあるハンバーガーショップでの昼食である。

このバーガーショップはここ数年で急速に勢力を伸ばし、いまやマクドナルドをしのぐ勢いの新興勢力で、店名をチックフィレイという。もともとは南部で拡大した店で、健康的であることが一番の売りなのだという。一番の健康はハンバーガーを食べないことではないのか、とツッコミを入れたくなるほど、この時期の僕はアメリカの食文化に辟易していたが、彼らにとってご飯とみそ汁くらい当たり前の食べ物なのだから、その範囲内で〝健康〟を意識せねばならないのだろう。

通常のハンバーガーとは異なり、牛肉を使わず良質の鶏肉をつかっていて、とくにフライドポテトは名物であるらしい。商品の選択もシンプルで、スパイシーかどうかを選び、あとはレタスなど野菜の有無を選択すればよい。またドーク教授の情報によれば、大学構内の店舗はその忙しさから例外であるものの、郊外店のばあい、その高品質なサービスが売りなのだという。それは従来のアメリカ式とは全く異なるもので、日本のサービス文化を大いに参考にしたはずである。店員が笑顔をつくること、店内の清潔さの徹底などがうけて、売り上げを伸ばしたのだということであった。

たしかにチキンもポテトも、日本人好みのあっさりとした、いくぶん脂分を控えたもので、食べていて重くない。しかもひそかにおいしかったのは、チーズの味である。僕はアメリカに来ても、ハンバーガーを食べに日本で食べられるマクドナルドだけは入るまいと思っていたが、この店のチーズは程よい甘みのあるもので、非常においしかった。「これは日本で流行りますか」と聞かれ、僕はチーズがおいしいから大丈夫でしょうと即答した。

ともあれ、この昼食でドーク教授は、学食でのアメリカの最も大衆的な文化を紹介しましょうという好意から案内してくれたわけである。

そして夜のディナーは、打って変わって最高級と呼んでよいレストランを予約してくれていた。大学からほど近いそのレストランは、「1789レストラン」という名前のとおり、伝統と格式に溢れた、とても雰囲気のあるレストランであった。その格式は折り紙付きで、ワシントンDCとそしてジョージタウン大学、さらに街全体の歴史の始まりを告げる店である。この年、ジョージタウン大学の設立者であるジョン・キャロルがこの土地を買い付け、店をオープンさせた。それは大学の設立年と同じであり、またアメリカ合衆国憲法が制定された年と変わらない。この政治の中枢を担う都市において、憲法制定と同じような年に開業されたことは、まことに祝すべき名誉なのである。

講演会の後、1789レストランでドーク先生と会食

店内は色彩でいえば落ち着いた木目調のダークな雰囲気で、シャンデリアの明かりが、店内全体を映し出す効果を与えている。少し早めの来店だったので、隣接するバーに腰を下ろし、用意ができるまで一杯地ビールを飲んで談笑したのは至福の時間であった。

外国からの客をもてなすための食事会だと分かると、気を利かせたバーの店長が、ではこの店の歴史を話しましょうといって、目の前に飾ってある木製の彫刻が五〇〇年前のものであること、また著名人の来店が非常に多く、大統領の訪問もこれまで頻繁であったこと、そして店舗の外の道は映画の撮影に使われたことなどを自慢そうに話してくれた。

するとと偶然、僕の隣に、壁のように大きな男が現われビールを飲み始めた。聞けば、ワシントンウィザーズに所属する著名なバスケットボール選手なのだという。若いのに、すでに十分な収入を得ているはずの彼は、ここに一杯ひっかけにきたというわけである。周囲も彼をみて騒ぎ立てるような人はいないので、過ごしやすいこともあるのだろう。ドーク教授は、

「日本の東京のような場所とは違い、ワシントンは落ち着いて接待できる店が少ない

から、こうしたレストランにみんなが集まってくる。行く場所が限定されているのです」

といっていた。

さて、座席に案内されメニューを見てから、僕はカリフォルニアの赤ワインを注文したいといった。ここはもちろん東海岸だが、せっかくなので最も有名な西海岸のワインを所望したのである。今夜は昼間とは正反対に、アメリカの伝統と格式を味わう会なのだから。

ドーク教授との会食の中で大変に面白かったのは、日本の現状にたいする議論であった。ドーク氏は、左派系の新聞こそ民族主義的だといった。左派系の新聞の憲法擁護論は、極東の現状を考慮することなく、単に国内の情緒的な平和主義に基づく主張であり、全く理論性を欠いていて「民族主義的感情の発露」にすぎないというのである。むしろ国民が理性と法を重んじ、国際情勢を冷徹に分析することを知識人が行うならば、憲法改正は当然の「権利」であって、理性の行使だと強調した。したがって、それは最良の民主主義の貫徹になるはずで、だからこそ憲法改正は行われねばならないというのが教授の主張であった。またドーク教授は憲法改正をふくめて、中国の急速な台頭を考慮しつつも、日本はつねに米国に従う必要はなく、国家としての機軸を持つべきだともいった。

またアメリカの分断社会とグローバルエリートの話にもなった。昨晩の僕の発表は、ある種のグローバルエリート批判だったはずである。彼らは無条件にグローバルエリートである自分の立場を肯定している。しかし大事なことは、物事には二つの側面があるのであって、僕はそのうちの問題点の方を指摘したにすぎない。

それは正当な評価を幸いにも受けることができた。

しかし、ドーク教授が付け加えたのは、彼らがともすれば自国の巨大な格差を見ないまま、海外へ出ていく姿勢への疑問であった。アメリカ国内には、とりわけラストベルトと呼ばれる五大湖周辺の鉄鋼業地帯、さらに中央部では、経済的繁栄から脱落していった層がおびただしい量いるのであり、この分断社会をどのように統合していくのか、宗教の復興なのか、より普遍的原理によるものなのかどうかを考えるべきだと教授は力説された。

こうしたドーク教授の発言は、おそらく日本では「右派」に属するものなのだろう。しかし前述のように同じドーク教授が最近研究出版した本は、戦後を代表する知識人であり文部大臣も歴任した田中耕太郎であり、また宗教倫理学の吉満義彦なのだ。ドーク先生は、保田與重郎などの日本浪曼派すなわち日本の民族派の研究から出発し、そのうえで日本の普遍的な宗教思想やカトリック思想を研究し、この分断したアメリカ社会を統合する原理を模索しているのである。

最高級の肉は、アメリカ人仕様なので量が多く、僕は用意された紙パックに残りを包んでもらった。赤ワインに映る店の照明は、アメリカにもそれなりの「伝統」が存在することを、僕に教えようとしているように見えた。

Pearl Harbor, December 7, 1941

講演も終了し、アメリカ滞在も二週間を越え、ようやくＤＣの週末に馴染めるような気分になった。だからこの日からは大学での研究活動を休みにして、午前中から街中に繰りだすことにした。中心部はナショナル・モールと呼ばれる国立公園として整備されていて、ワシントン記念塔やリンカーン記念館、国会議事堂などが集約されている。著名な美術館と博物館を制覇してやろうと思い、モール東側のナショナル・ギャラリー周辺の散策からはじめるつもりで、ランファン・プラザ駅で下車したのだが、にわかに太平洋戦争関係の記念碑が気になり、道を左手に歩いていくことにした。

目の前に次第に大きくなってきたのは、初代大統領ジョージ・ワシントンを記念した巨大なモニュメントで、白亜にそびえる塔が、この日も晴天の空に突き刺さるように立っている。周囲をぐるりといくつもの星条旗が取り囲んでいるのだが、それにしてもアメリカという国家は、いたるところで星条旗を目にすることができる。目にすることができるというよりも、無意識のうちに目に入ってくるのである。サンフランシスコでは七色の旗も目立ったが、ホテルの入り口、とくに格式の高いホテルには星条旗が翻っていた。これはその後のシカゴでの旅路でもつづいた。

ここワシントンは政治の中枢なのだからもちろんだとしても、星条旗という目に見える象徴をもっていなければ、この国は逆に多様すぎる民族と、広すぎる国土を「まとめる」ことができないのだろう。さらにいえば、酷暑にもかかわらず湿度が低く、木陰に入ればひんやりとし、寒暖の差もはげしいこの国では、星条旗が非常に健康的に翻っているように見える。国家を思うことに情念のようなものがまとわりつくことがないのである。悲壮感がない、といった方がいいだろうか。

当然、日本では逆の印象を与えるのであって、日の丸がおびただしく翻る光景を、僕はほとんど目にしたことがない。靖国神社や明治神宮、さらに歴史を重ねた神社等で見かける日の丸は、日本の湿度を反映してか、どこか湿り気を帯びた感情を僕に抱かせる。これは何も日本とアメリカを比較して、自国を批判しているのではない。ただ日本のばあい、国家について、あるいは日の丸を論じるにしても、どうしてこうも情念を掻き立てられるのだろうか。

ＤＣのカラリとした気候は、人工国家アメリカにいかにも似つかわしく、一方の湿り気のある日本の気候では、国家がねっとりと民族感情に結びついてしまうのかもしれない。僕たちは日の丸を見ると、自分自身の中にある湿った、ほの暗い感情を白日の下に曝されたような気分になる。

だから今日、日本の靖国神社にあたるといってもよい、第二次大戦記念碑を見学し、午後からアーリントン墓地に行こうと考えたのは、それぞれの国家が「あの戦争」をどう受けとめたのかを知りたかったからである。

噴水を取り囲むようにしてできている記念碑の中央部分には、「ここに平和の価値を記す」と彫られていて、入り口の左右にはルーズベルト大統領の言葉が刻まれている。左手の方に刻まれている言葉を読むと、真珠湾攻撃にかんするものであったが、冒頭をみた瞬間、僕の眼に飛びこんできたのは、

「DECEMBER 7, 1941」

からはじまるモニュメントの英文であった。当然のことだが、日本では真珠湾攻撃の日、すなわち太平洋戦争の開戦は一二月八日として記憶されている。しかしここワシントンDCを基準にすれば、一七時間の時差があるから一二月七日の出来事だったのである。このたった一日のズレが、僕に強烈な印象をあたえた。僕はあの戦争に対する日米が絶対に相容れない差異、分かり合えないものを含んでいることを、理論ではなく体感として受けとめたのである。

今、午前の酷暑とともに僕を取り囲んでいる第二次大戦記念碑は、あくまでも「アメリカ人」の視線からみた太平洋戦争にまつわる記憶と祈念の空間である。この事実を突きつけられたとき、たとえ七〇年以上の月日が流れても、一人の観光客、つまり時間的にも空間的にも責任を免れた一個人の歓楽として、ここに佇むことは不可能だと悟ったのである。みるみるうちに、自分を囲むモニュメントから生々しい死者のまなざしが僕を包み込んだ。形容矛盾だとは思うが、アメリカの死者たちの視線には血が通い、体温が感じられ確かに息づいており緊張感を強いてきたのである。

彼らが真珠湾攻撃を一二月八日と書くことは絶対にない。そして日本人が「八日」と記憶しつづける以上、両者の間の亀裂は埋めようがない。だからといって、そのことについて、僕らは恐らく弁明する必要もなければ、逆に拒絶し対峙する必要もないのである。

たとえば彼らに、星条旗と日の丸に対する気分の違いを説明することができたら、それだけで十分である。僕とあなた方は別人であること、異なる国家に所属し、それは思った以上に人生を左右し拘束すること、いいかえれば、僕らは時間の積み重なりから、どこへ行っても逃れることはできない。そう互いに納得できればいいのであり、分かりあえるとすれば、そのようなあり方以外にはない。違いを互いに確認しあうことのみが、恐らくは国際交流の唯一の方法なのである。

リンカーンの塑像を納めるパンテオン形式の殿堂が、夏空を背景にして発光しているように見えるのは、この国の公的な建物の歴史の浅さを印象づけた。一〇年以上前に留学したパリの教会や建物には、時間の蓄積とともに「そこにある」ことが当然という雰囲気が醸しだされていた。建物を支える土地自体が、死者たちの血を養分にしてじっとわだかまっているようだった。だが〝伝統〟を人工的に作りだそうとするアメリカの建物には、軽さしか感じられない。過去に存在した建築様式を、現代にいきなり持ってきた唐突感がぬぐえない。その軽さは、パリはもちろんのこと、日本の木材と湿気で時間の蓄積が表面に滲みでた神社仏閣ともちがうものだ。

考えてみれば、南北戦争は戊辰戦争の混乱とほぼ同じころなのだから、日本の近代とアメリカの建国は同じ時間感覚でとらえられるはずである。だが鎮座一〇〇年を迎える明治神宮の、あの鬱蒼とした森が湛える「水」のイメージが、リンカーン記念館がそびえたつワシントンDCにはほとんど感じられないのである。

「この街の人工性は、たぶん北朝鮮の平壌と同じような感じだな」

不敬を承知で、行ったこともない平壌と比較しながら、僕は小さくつぶやいた。

□　□　□

だが午後になり、滞在先のホテルに近いアーリントン墓地を訪れて、僕の思いは決定的に覆されてしまった。

アーリントン墓地に行く途中には、硫黄島戦闘記念碑があり、本来、DCに到着したら最初に行くべき場所であった。ジョージタウン大学が、ポトマック川を渡って一五分足らずの道のりだとすれば、それとは逆方向、川を渡らずロスリン駅を越えて、もう一〇分ほど歩くと、目ざす硫黄島戦闘記念碑の、星条旗の先端部分だけが見えてくる。

いうまでもなく、硫黄島の戦闘とは、第二次大戦末期、小笠原諸島の硫黄島をめぐる日米の攻防戦のことをさす。本土空襲の中継基地確保をめざす米軍が一九四五年二月一九日、六万一〇〇〇人による上陸作戦を展開し、日本軍守備隊二万三〇〇〇人は一か月以上持ちこたえたものの、三月二三日に全滅した。東西八キロ、南北わずか四キロの小さな島をめぐって、八万人以上の日米軍が入り乱れたことを思うと、島はさながら地獄絵図であっただろうと想像する。多くの血が川の色を変え、砲撃で島のかたちは変形したに違いない。米軍の損失も大きく、実に三万人近い死傷者を出したこの決戦は、摺鉢山の戦いであり、二月二三日、五人の海兵隊員と一名の米海軍が摺鉢山山頂に星条旗の旗を立てる姿が、ジョー・ローゼンタールによって撮影され、のちにピュリッツアー賞を受賞することになる。写真は太平洋戦争を象徴する一枚となり、

アーリントン墓地内に屹立する「硫黄島戦闘記念碑」

これに基づいて設立されたのが、今、眼の前にある記念碑なのである。

その姿は予想以上に大きく、そして生々しいものだ。ちょうどパリ留学の最後に見た、ロダン博物館の塑像たちのように緊張感にあふれ、隆々とした肉体には生気が漲（みなぎ）っている。この記念碑もリンカーンのそれと同じく、清潔に掃除されていて、新しい。力強い海兵隊員の姿は、今にも動き出しそうであり、太い脚、山頂に達するまでの服の汗と汚れ、力を振り絞っての自己主張の塊には、彼らの魂が宿っている。

すぐ下には、この六名の兵士以外にこの戦闘に参加した者たちを映した写真が顕彰されていて、説明文によれば、この戦闘がいかに夥しい兵士と戦艦、飛行機の参加によってなされたのか、またこの記念写真に納まった二〇名程度の兵士たちが、この後、ほぼすべて命を落とすことになったと書かれている。塑像に宿る生々しさは、この写真の兵士たちの無言の血を吸い取って咲いている華のように思われた。

改めて子細に像を見あげると、快晴の青空に、黒い塊がむくむくと盛り上がっているように見える。周囲をめぐると、この像が、アメリカが歴代続けてきた戦争全体を記念する作品であることに気づいた。台座のまわりに、これまでの戦闘の歴史が、年号とともに刻まれていたからである。

金色の文字を眺めているうちに、思わず立ち止まった。それはアフガニスタン侵攻とイラク戦争が、それぞれ「２００１-」「２００３-」と刻まれ、いまだに終結していないことを教えてくれたからである。みるみるうちに、漠然と直感していた日米の違い、真珠湾攻撃の一日のズレからくる彼我の違いを理解した。そうなのだ、アメリカはいまだに交戦国なのである。今日、いまこの時も、アメリカという国は戦闘状態の渦中にある。対する日本で第二次大戦を語るばあい、それはかならず「戦後七四年」という表現をされる。つまり日本は戦後であるのに対し、アメリカは戦争中である。これほど明確な両国の違いはないではないか。

だからアメリカのモニュメントがどこか歴史が浅く見え、生気を保っているのは、日米の歴史の深浅とは無関係なのかもしれなかった。戦時国家アメリカは、常時、非常事態の只中にあるのであって、歴史は断絶した過去として懐古したり反省したりする「もの」にまで結晶していない。過去は現在と地つづきで、空気はストローのような穴を通じて風通しよく行き来している。歴史に僕らが感じるセピア色の思い出、死者の黴臭い息は「アメリカの歴史」とは無縁なのである。

この直感は、アーリントン墓地に入ってから確信へと変わった。

歩いて一〇分足らずでアーリントン墓地の入り口にたどり着いた。この広大な丘に点在する墓地で最も印象的だったのは、ケネディ大統領の墓が意外なまでに質素であったことと、無名戦士の墓の前で、米兵が行っていた交代式である。

もちろん、交代式が現在では半ば観光客向けの儀式であることは知っていたが、それでも僕には強烈な印象を残した。死者と我々生者が結びつくということは、こういうことなのだと思われた。かつてイギリスの探偵小説家にして批評家のチェスタトンが「死者の民主主義」という言葉を使ったことがあるが、これは死者を慰霊することを通じて、僕らははじめて国家とつながれるということだろうと思う。僕らは死者に何かをしてもらうのではなく、死者に何ができるかを考えよ。この儀礼それ自体が、国家の存在を眼に見えるものにしてくれているのである。戦争と死者が僕らを国家につなぎ、そして今度は僕らが慰霊によって死者を国家につなぎつづけるのだ。

むろん国家は、こうした形式主義とは無縁の場所にもある。

たとえば僕のばあい、国家の傍らには、きまって母方の祖母の姿がある。

ちょうど三〇年前、僕が中学二年生のときに亡くなった祖母は、生涯を貧しさのどん底で暮らした。山梨の韮崎で赤貧洗うが如き生活をおくり、酒乱の夫を養って男に交じって肉体労働をし、四人の子供を育てあげた。正しくいえば八人の子供を授かり、戦前生まれの四人を幼くして亡くした。縁日で食べたもので腹をくだし、死んだ幼女もいた。今でも祖母の墓に詣でると、四体の地蔵を彫り込んだ石碑がある。金もなかったはずなのに頼んで作った地蔵には、言葉では表せない痛切な悲しみを刻み込んだものと思われる。

祖母から数えて三代目にあたる僕が、なぜ今、こうしてアメリカの地で、少なくとも明日の生活に困らず生活できているのか。自らの能力だけではないだろう。「戦後」の日本人がつくりあげてきた大きな流れの中を、木の葉のように浮き沈みしながら、偶然ここにたどり着いただけだ。昭和末期から平成にかけて幼少期を送った僕は、東京の都営住宅に流れ着いた祖母から、よく戦争の話を聞いた。空襲警報の音、B29が山梨上空を東京へむけて通り過ぎて行く様子、それをうち落とすための機関砲の音について——おはじき遊びをしながら、僕はこうした話をよく聞いたものだ。そしてアーリントン墓地の晴天の中で、ふと、祖母の思い出が傍らにあることに気づいたのである。僕の体内には死者の記憶が流れていて、アメリカ人の死者たちに喚起されて蘇ってきた。この感覚には嘘が無いように思われた。

□
□
□

渋い黒人バーテンダーに、この日の夜もボストンラガーを、といった。「グラスは?」と聞かれたので、「冷えたのを」と答えた。琥珀色の液体を注ぎながら、今日一日を反芻していると、ふと、あるテレビ番組のことを思いだした。今回のアメリカ訪問の直前、八月五日にNHKで放送された『戦没者は二度死ぬ——遺骨と戦争』という番組のことである。

「テニアンは島全体がお墓のようなものです」——遺族の言葉から、番組ははじまる。サイパン島に隣接するこの小島には、先の大戦の戦闘員と民間人をふくむ多くの遺骨が今なお、眠っている。テニアンだけではない、当時大東亜共栄圏を拡大していた日本は、東南アジアから大陸ロシアに至るまで、一〇〇万柱を越える遺骨が、無念の帰国すら果たせずに密林と荒野の中に眠っている。番組はそれらの遺骨収集の現実に迫ったドキュメンタリーである。伝統や歴史を大切にする、などという観念的保守を吹き飛ばす生々しい声、自分たちは忘れられ「二度死ぬ」のだという肉声が、番組を通して、僕たちの耳元に届いてくる。

平成二八年(二〇一六)に成立した「戦没者の遺骨収集の推進に関する法律」には、多くの問題点が存在する。現在の遺骨収集は、現地で採取した遺骨を「目視」と「遺留品」で鑑定する、つまり経験的な職人技で行っている。これがどれだけ前時代的な方法かは、アメリカと比較すれば一目瞭然だ。アメリカは毎年、莫大な予算を計上し遺骨のDNA鑑定を行い、完璧な「科学的根拠」に基づいて、遺族のもとへ返還している。その際には、最大限の国家儀礼をもって、死者の戦地での状況説明までなされる。抜けるような青空のもと、星条旗に包まれて葬送される兵士が、その後、どのように慰霊されるのかを、僕は今日みてきたばかりだった。

戦没者の墓の広がりには、アメリカの明確な国家意思が存在する。アメリカにとって、遺骨収集とは、自分たちが国家につながっていること、過去があって現在の自分が存在することを教えてくれている。だとすれば、日本の不徹底な遺骨収集は、日本人にとって国家が不在だということの証左ではないか。戦後、僕らは、一貫して国家を失い続けてきたのではないか。

ここで僕が想定している「日本」とは、現在の地理的範囲を意味しない。平成二八年の先の法律は、日本人の範囲を昭和二七年（一九五二）発効のサンフランシスコ平和条約以降の日本人だと見なしている。彼らには軍人恩給、遺族年金、障害年金が支給され、わが国に命を捧げたことへの一定の補償がなされている。

だがしかし、「当時の日本」が、それをはるかに超える範囲であったことを思い出さねばならない。たとえば、「大日本帝国臣民」として、軍人・軍属として召集された人々には、台湾・満州・朝鮮半島・南洋諸島の方々が含まれていた。さらに拡大すれば、当時の大東亜共栄圏の範囲には、独立義勇軍が日本軍によって組織され、フィリピンやインドネシア、ビルマやインド等の人々が日本人と共に戦争に参加し、その尊い命を落としていった。

「当時の日本」のために彼らは「日本人」として、あるいは大東亜共栄圏を構成するアジア人として、共に戦い、共に働き、共に戦地で散っていったのだ。すなわち現在の僕たちの繁栄は、恩給制度等を支給された日本人だけではなく、彼らの過去の犠牲に支えられて成り立っているのである。

そして彼らは、テニアン島に散った戦死者たちよりもはるかに早く、「二度目の死」を迎えていた。つまり戦後、僕たちは彼らの存在を忘却し、不問に付し、遺骨収集と現在の各国への帰国の実現など、思いもしなかったのである。

だが、彼らもまた「日本人」であった以上、現在のわが国が誠実かつ「科学的鑑定」に基づき遺骨収集をするのは当然ではないだろうか。

この僕の主張は、現在世上を賑わしている徴用工問題・慰安婦問題などの歴史認識問題とは、一切無関係である。不当につづく謝罪要求や賠償責任論の繰り返しは、不毛なイデオロギー闘争に陥りがちである。しかし一方で、科学的鑑定に基づいて行われる遺骨収集は、世論戦や心理戦に利用することはできないからだ。さらに、科学的鑑定による収集と各国への返還は、わが国が「謝罪」ではなく「道義的責任」を果たしていることを証明し、道徳的誠実性を宣伝する効果をもつ。それは現状の謝罪要求を抑え込む根拠となり、きわめて有効な外交カードになるはずなのである。

日本は戦略的思考が欠けている。それを補うのが、遺骨鑑定のもう一つの側面なのだ。

現在、日本の遺骨収集は、多く民間の篤志団体の助力によって成り立っている。たとえばそのうちの一人、米津等史氏は「アメリカ国防総省公務殊勲賞」を二年前に授与された。日本の政府ではなくアメリカによって表彰されたわけである。

毎年八月、日本人が先の戦争に本当に向き合い、その遺産を引き継ぐために何ができるだろうか。そのヒントが、遺骨収集にはあるのかもしれない。かつての「日本人」を考えることは、現在の日本人が今日までのすべての「日本人」を慰霊し、歴史に思いをいたすことである。その時、アメリカのように、僕たちの前に明確に国家が姿を現す。戦後、経済的繁栄の影に放置された国家が、僕たちの前に確実な重みをもって浮きあがってくるはずである。真珠湾攻撃の日付にはじまり、硫黄島の激戦、アーリントン墓地でふいに思い出した祖母の戦争体験は、アルコールの力も手伝って、遺骨収集にまでたどり着いた。

私の保守主義観

シカゴは、僕に一番アメリカ的な印象をあたえてくれた街である。旅先ではだれでも「ご当地らしさ」を求めるものだろう。浅草や京都にきて、わざわざ着物や浴衣に袖をとおす外国人は、日本らしさを満喫したいからに違いない。シカゴ滞在の三日間は、ワシントンDCからサンフランシスコまでの「大陸横断鉄道の旅」の途中休憩として二泊三日滞在していたにすぎない。ドーク教授を含めた知人たちは、

「シカゴに行くならピザが名物だから食べるとよい」

といってくれたものの、すでにアメリカの肉食中心生活に胃が悲鳴をあげているので、とても食べる気になれない。その代わり、シカゴ市内を走る高架鉄道が、いかに

も旅先の風情を醸していて印象に残っている。

真新しい感じばかりがしたＤＣの建物やだだっ広い道路とはちがって、高層ビル群のあいだを縫うように走る鉄路の高架下は、陽ざしを受けずに、うすぼんやりとしている。駅入り口の階段の雰囲気も、車両を待つ間に眺める交錯した線路も、茶色く腐食して経年劣化を感じさせる。街全体を覆う「渋さ」は、時間が生みだしたに違いなく、古き良きアメリカを感じた。電車は二階から街を眺めるように走り、いぶし銀の車体をくねらせて対向車とすれちがう。

だが、こうした余裕ができたのは、滞在二日目のことで、初日は大変なことの連続だった。旅も中盤をすぎ、蓄積した疲労があったことにくわえ、学者という職業柄、旅行鞄の中身の大半は書物が占める。その重さは半端ではなく、大きな荷物をひきずってひと目で旅行客とわかる格好で歩いていた。シカゴ、ユニオン駅に到着し、はて、どの路線に乗ろうかなとウロウロしていると、偶然、浮浪者風の若い男と視線があった。僕が不案内丸出しの旅行者風なので、道を教えてやろうという顔をしている。僕の方も疲労していたこと、すでにサンフランシスコで散々浮浪者がコイン入れのコップをかちゃつかせているのを見ていたこと、しかも彼らと通行人が比較的気軽に話し込んでいたのを見ていたので、ふと気を許し彼に近づいた。彼の方でもなんということもなしに手元の地図をのぞき込み、確信をもって、この道を左へまっすぐに進めと指さした。

もちろん、それは嘘であった。重い荷物をゴロゴロ引いて散々歩いた挙句、通行人に地図を見せると騙されていたことに気がついた。道をそのまま引き返し、駅前に戻って、彼をにらみつけてやろうとしたが、もうそこにはいなかった。

またシカゴのホテルで改めて痛感したのは、アメリカが完全にカード社会だということである。ビジネスマンの読者は笑うかもしれないが、僕は今回カードを持参せず、すべてを現金決済していた。日本はなんでも印鑑文化で、印鑑を

シカゴ市内を走る高架鉄道

押すために必ず紙が必要になる。つまり紙を信頼している。反対にアメリカはカード文化であり、ペーパーレス社会でありサインで済ませる。「信用」に対する考え方が全く異なる両国で、カードなしでホテルのチェックインを済ませるために、もう一苦労が待っていた。

「なぜ、カードがないのだ」

「日本に置いてきてしまったのです」

「なら、カードの番号をここに記入しなさい」

「すいません。日本で僕はカードを普段使わないので、番号も失念しています。事前に旅行会社が代行予約し、その証明書の書類も見せているのだから、チェックインできるのではないですか」

一五分以上の交渉の末、ようやく受付の女性は「今度アメリカに来るときは、カードを忘れないで」といって、カードで支払うべき前金に四〇ドルの追加料金を加算し、現金チェックを許してくれた。

ただトレモント・ホテルの部屋は、今までの部屋とは格段に違い清潔で、体を休めるには十分だったし、サービスも程よかった。サンフランシスコ滞在中に再会した教え子から、外食ばかりで胃が疲れるなら、ホール・フーズ（Whole foods）というチェーン店に行くとよい、そこにグラム売りのフードバイキングがあって、野菜の炒め物から肉類まで自由に選べて体にやさしいから、と教えられていた。荷物を片づけてシカゴ散策をかねて夕食の買いだしに出ると、歩いて五分くらいの場所に首尾よく店をみつけた。その日の夕食は、久しぶりにアジアン風の野菜多めの食事にありつけた。

夜、ぼんやりとテレビを観ていると、「book tv」という、本の紹介をずっと流している不思議なチャンネルをみつけた。ニューヨークの本屋が主催する著者のトークセッションをそのまま流していて、日本に例えると、ジュンク堂や蔦屋が店内のカフェでやっている著者イベントを流し続けるのと同じである。おそらく日本ならYouTubeなどで配信されるようなものを、シカゴではテレビで一晩中流している。黒人問題や女性にとって男性は必要か、などリベラルな論調がつよいが、全体として面白い。

翌日、地下鉄で五大湖の一つ、ミシガン湖まで行って恒例のジョギングを済ませた。ホテルに戻り、再びベッドの上でテレビを観ていると、突然、気がついた。そうだ、今日は九月一一日、すなわち九・一一テロ追悼記念日だったのだ。午前中には忘れていたが、CNNの特集番組が目の前で流れている。

この日、アメリカは二〇〇一年から数えて一八回目のメモリアルを迎えていた。日本では見られないような当日のなまなましい映像とともに、消防士の談話を差しはさみ、崩壊直前の貿易センタービルに突入していく彼らの姿が映しだされている。場面は変わり、ロウソクのあかりのもとで、ラジオから流れる大統領の声明を聞きながら抱きしめ合う黒人の姿が映される。彼らがビルの窓から掲げたのは、星条旗であった。今、アメリカという「国」がテロリストの挑戦を受け、危機に瀕している。人探しの写真が張りだされ、一切のものが焼き尽くされ瓦礫と化した現場で、消防車すら粉塵に覆いつくされなすすべがない光景は、それだけを見れば東日本大震災と同じようにも見えた。

いつも思うのだが、僕たちにとって目の前にある風景、あるいは日常は、明日も確実にあるわけではない。

ここに机がありペンが置いてあって、照明がパソコンを照らし、外を見ればシカゴの街並みがあるのはある意味「奇跡」である。つまり、世界が秩序によって整然と区分けされていること、明日も同じ光景がそのまま眼の前に存在し続けるのは常識ではないのだ。「日常」の方が稀有な瞬間なのであって、番組が映しだしている廃墟、ガラクタと剥き出しの骨組み、焼け爛れた瓦礫こそ、世界本来の姿、世界の実在そのものが露出していると思うのである。人間はこの無秩序を、膨大なエネルギーで作り直し、整え、秩序化する。しかし一瞬でも力を抜けば、実在の方が露出してくる。自分が東日本大震災で被災して以来、僕はそう考えるようになっていた。

東日本大震災のばあい、被災から一か月後、僕は福島第一原発から四〇キロをきる久之浜周辺で、住居の撤去作業のボランティアをしていた。津波がきた跡がくっきりと柱についている現場で、怪我をすると破傷風になるからといわれ、分厚い手袋を渡された。撤去作業後、車に同乗して訪れた小学校の庭には、見上げるほどの瓦礫が黒い山となっていた。僕はこの時、世界を支配している色、基調となる色は「黒」なのだと気づいたのである。人間でもガラスでも写真でも、焼けばすべては喪服の色、黒色になるのだ。いうまでもなく、宇宙のほとんどもまた黒が空間を占めている。

□
□
□

僕がもし、「保守主義」的な人間なのだとすれば、この震災体験によるところが大きい。震災以降、眼の前の光景が明日もあると思えないのだ。駅舎は手前にあり、その背後に山々はうねっていて、風景の遠近は変わることはないと、素直には信じられない。

僕にとっては、瓦礫の露出こそ常識なのであって、これを世界の実在と呼び変えてもよい。遠近はいつ崩れるかもしれず、無秩序こそ常態である。それは自然災害でも、病気や殺人事件、あるいは父母の急死による家族の瓦解でも同じように突然起こることだ。そして、つかの間の秩序維持こそが「大人」の仕事であり、常にマイナスをゼロに戻すこと、自分以外の存在が、気づかずに歩いて通る道を舗装しているような作業を黙って続けることこそ、保守の定義である。

僕を幼年時代からつかんでいたこの感覚を通して、長じてから、なぜ年長の人ほど熱心に年中行事をし、年末年始に神仏を拝むのかを理解できるようになった。昨年無事であったことが「稀有」なことであり、くる年も「何もない」ことが一番であると気づいた者たちが、頭を垂れることだと分かったからである。そして国家もまた同じように、大人の存在を必要不可欠とする。国家は権力であり個人に牙をむく存在であるよりも、逆に一瞬でも気を抜けば瓦解するもの、支えつづけ次世代に引き継がねばならない共同体であるように思われる。国家間の平和的秩序は、比喩でいえば重い石を両手で抱えつつ、少しだけ足を動かして、ものを取る動作に似ている。それは石を落とさない限りで、少しずつ、慎重に、こちらに引き寄せる動作にほかならない。

ここで僕は、戦後を代表する二人の保守思想家を取り上げることにしたい。偶然にも、前回の東京オリンピック前後、二人の保守思想家がアメリカを実見していた。江藤淳と山崎正和のことである。ロックフェラー財団の支援を受けた江藤が、アメリカ留学に旅立ったのは、一九六二年（昭和三七）八月二四日であり、二年間のプリンストン滞在の後、一九六四年（昭和三九）八月四日に帰国した。二か月後の一〇月一〇日、東京を舞台にオリンピックがはじまる。滞米中に日本の各新聞に掲載したのが「アメリカ通信」であり、帰国後、より本格的なアメリカ論「アメリカと私」の連載を開始したのであった。

帰国して一〇日も経たない江藤のもとを訪問したのが、山崎正和だった。江藤と入れ替わるようにしてアメリカ留学を控えていた山崎が、参考意見を聞くために江藤のもとを訪れたのである。その際の模様が『『アメリカ』の現実と『私』の虚構』という短文に残されている。山崎は江藤からアメリカの食事が酷いこと、とりわけパンは味が悪く、イングリッシュ・マフィン以外は食べるに値しないという話を聞かされる。その独断にも似た話に、山崎は江藤の批評家としての資質を見いだしていた。

パンの味の好き嫌いは趣味判断であって、個人的な好悪にすぎない。でも本来、この個人的な断定は、分厚い文化的な価値観によって支えられている。たとえば江戸小紋が「美しい」のは、江戸の歴史と文化が人びとに共通の美の基準を与えてくれたからであり、個人的なセンスは、江戸庶民の常識によって支えられているのである。

でも東京オリンピックを控え、日本はもともとの顔、つまりかつての日本を否定しつづけてきた。国土を新幹線や高速道路で整備し、まるで整形手術後のようにしてしまった。歴史も文化の厚みも失うことを厭わずに突き進んできたのである。

だから江藤が「アメリカのパンはまずい」と断定するとき、実は彼自身の判断を支える基準はどこにも存在しない。文化を失った江藤の「私」はとても空虚で、判断も実は確信に満ちたものではないのだ。山崎は江藤が直面していた危機を、次のように描く——「もう一歩踏みこんで、その好き嫌いの根柢を探ってみると、われわれは『好ましい日本人』像の完全な崩壊に気づくのである」。そして山崎は、江藤の批評文はこの伝統の不在、私の無根拠さを痛切に意識することで成り立っているというのだ。

空虚な私を抱えた江藤が、留学生活を描いたエッセイ集「アメリカ通信」を、アメリカに来る以前、僕は何度も読んでいた。今回の短期滞在でも持ち歩いていた。とりわけ好きな朝日新聞掲載の短文「国家・個人・言葉」をひらき、ベッドに寝転びながら読み始めた。

二年のアメリカ留学を終えて帰国する直前、江藤は、鷗外や漱石・荷風と比較し、自分の留学体験の意義を考えた。明治を生きた彼らには、個人的な体験と国家目的がはっきりと結びついていた。日記を書いたのも自己告白のためではなく、見たもの全てを故国に報告し、その発展に役立てたいという使命からであった。岩倉使節団以来の留学生の伝統につながっていたのである。

また彼らにとって、留学は西洋の最新知識を日本に持ち帰ることでもあった。その意味からすれば、江藤は留学すらしていない。新知識を持ち帰ってきてほしいと、国家の側から要請されていないからである。

オリンピック開催直前の日本国が、個人に命じてくるのは「外貨を獲得せよ」という要請のみである。戦後の日本は「平和主義」と「民主主義」、つまり歴史や伝統とは無縁の価値観に支えられている。その日本のアイデンティティが「経済大国」にあるのだとすれば、早晩、新興国に追い抜かれた時点で、僕らは自己同一性を失う。

これでは今の日本人には、自分の行動を律する基準、日本人に固有の行動様式がないではないか。何を善とし悪と見なすのかの基準がない。人はただただ利潤の拡張を求めて生きている。意味もなく金銭獲得競争をひた走りつづける日本人は、本当に「生きている」といえるのだろうか。江藤はアメリカにいて、そんなふうに感じている。

こうした繊細な気持ちを失えば、多くの移民で構成されているアメリカに、江藤は容易に呑みこまれてしまうだろう。江藤の英語はカリフォルニア出身の日系アメリカ人の英語として受け入れられ、人種の坩堝の国の一員に組みこまれてしまう。だが江藤を襲ったのは、これに抗う感覚だった。過去の日本人の汗も血も吸い込んだ日本語がもつ重みに、江藤は自分が繋がっていることを確認しようとしたのである。

私は、万葉以来明治・大正にいたる日本文学の総体が、私に向って来るのをしばしば感じた。その頻度は、私が米国の生活になれるにしたがって、かえってしきりであった……日常、単に孤独な個人として生きている人間が、ある瞬間に自分を含む全体を垣間見るというような体験である。国家が自分をよぶ声があまりに力無いのをさびしく感じた私は、しかし、この体験のもたらした喜びを忘れがたいものに思う（「国家・個人・言葉」）

□ □ □

一方の山崎正和は、気鋭の劇作家として「ZEAMI」公演のために渡米した。その体験記『このアメリカ』には、今から半世紀前のアメリカが活写されている。内容をあえて一言で表現すれば、当時のアメリカにはまだコミュニティが存在した、ということになるだろう。

最初に山崎が気づいたのは、下宿先のおかみが婦人会に所属し、活発に慈善活動をしていることだった。「親切」という一見当たり前に見える感情を、アメリカは専門化し、組織として行う。対する日本のばあい、親切は庭先の会話にはじまるくらい親しい感情だが、一旦ひっくりかえると無限の嫉妬や憎しみに変わる。こうした全身的な人間関係とは異なり、アメリカには社交がある。親切一つとっても、適正な距離で他者への共感を含む礼儀があるわけだ。

イエール大学の演劇科研究員として滞在しながら、ニューヨーカーの観劇生活を見聞する際にも、山崎は日米の違いを見逃さない。それは下宿屋のおかみを見る眼と似ていて、要するに日本人の「生活」が畳の上で寝てテレビを観るような、およそ自然な感情に浸かった家族をイメージするのに対し、アメリカは家族においてすら、徹底的に儀式的なのである。

これは山崎の保守主義の原点をなす「リズム」や「社交」という概念に深くかかわっている。社交の場でくり広げられる、相手を尊重した会話、一定のルールに従って交わされる遊戯や動作を山崎は好む。そこには、アメリカ人同士が培ってきた相手との適切な距離の感覚がある。こうした人間関係を社交にまで洗練させてきた「歴史」を尊重すること、ここに山崎の保守主義の特徴がある。保守とは何よりも洗練された生活を営む社交術を身に帯びていること、その場の雰囲気にあわせてウィットに富んだ振舞いをできることを意味するわけだ。

さらに山崎の眼は、アメリカ人たちの「家」の構造をとらえている。彼らはまるで森林を切り拓き、丸太小屋をつくっていた西部開拓当時の健康さで、内装を整える。でも開拓者の家が長居を前提しないように、彼らもまた本当の意味で家を所有していない。イタリア系移民三世の友人と会話に興じていた際には、「家族」に同様の希薄さ、はかなさを感じとる。祖父は敬虔なカトリックとして生涯を貫き、アメリカの地でイタリア人であろうとした。それへの反抗から父は騎兵部隊の将校となり、故国アメリカへの忠誠を示そうとした。

その親父の愛国心を馬鹿にし、家を飛び出して友人は生きている。祖父が持ちこんだイタリアの習慣を否定した父は、今度は息子にアメリカ式生活を否定されたわけだ。彼らのように自らの出自を問いながら、バラバラに生きている姿こそが「アメリカ人」の典型なのである。三世代前に遡れば、アメリカ人の多くはこの大陸以外からの移民である。それぞれが自分の判断で、それぞれ自分が思うところのアメリカ人になってゆく。だから家族内で宗教がちがうのは当然であり、また生きる場所も西海岸から東海岸に至るまでバラバラである。彼の弟は今、ヴェトナム戦争に従軍して故国を離れており、父親も終戦時には日本に上陸していたのだ。

この山崎の観察は、僕にすぐ、サンフランシスコで一七年ぶりに再会した彼女のことを思い出させた。日本人である彼女と、インドネシア人である夫がアメリカの地で結ばれ、二人の子供をもうけて住んでいる。レストランの経営は順調であり、プール付きの家まで手に入れたが、トランプ政権の強硬姿勢もあって、永住できる保証はない。銃社会アメリカにも疲れた彼女は、治安のよい日本への帰国を望んでいて、そのばあい、夫はアメリカに留まるか、インドネシアに帰国する可能性もあるといった。だとすると、子供はアメリカ、日本、インドネシアのいずれかに住み、二か国を往復する生活になるだろう。

そのように語る彼女には、悲壮感が全くなかった。つまりアメリカの地で暮らす人間たちにとって世界中に親族が散らばり、それぞれの地で生き抜いていくのは当然なのであって、これはエリート層であれば一層その傾向を帯びる。たとえばトランプの移民に対する強硬的発言に反応しているのは、ヒスパニック系だけでなく、インド出身が多数を占める医者であったり、カナダ出身のシリコンバレーのエンジニアだったりする。

つまり、「アメリカ人」であることの条件は、故郷喪失を前提しているということである。それは決定的に安定性を欠いている。引越しをすること、放浪すること、束の間であること自体が、アメリカ人の自己同一性なのである。

対する日本人にとって、彼女のような家族形態は引き裂かれた、悲惨なものだと映るだろう。山崎の眼は昭和三九年（一九六四）、最初のオリンピックに沸く日本が、自ら気づかぬうちに「伝統」を切り捨てていくのと、意識的に伝統から切れているアメリカを比較しようとする。アメリカにとって伝統との乖離は、かえって自分らしさを証明する。しかし無意識に自己否定をしてはばからない日本は、伝統を喪失することで、確実に「日本」を失っているのである。

江藤淳と山崎正和、この二人の保守主義者はアメリカ留学を通じて、戦後日本が「喪失」を繰り返しているといっている。戦後日本をあらわす言葉そのものが「喪失」なのである。

テレビからはまだ「アメイジンググレイス」が流れ、犠牲者の名前が延々と読みあげられている。午前中訪れたミシガン湖前の交差点のホテルにも、巨大な星条旗が風を孕んで翻っていた。今日もアメリカには目に見える形で、国家像がはっきりとした輪郭として示されていた。二度目のオリンピックを来年に控えた日本人である僕は、その晩、シカゴの都会の夜を窓辺から聞こえてくる雑踏に感じながら、本を閉じて眠りについた。

翌日、あまりの荷物の重さに耐えかねて、もう必要ない書類を日本に送付しようと思いついた。でもアメリカでは郵便局は治安も盗難の補償も最悪なので、UPS(国際宅急便)という場所にいけ、と友人に勧められていた。雑然とした地下に荷物を持ち込み、黒人店員と女性客とのやり取りを聞いていると二〇〇ドルかかるといっている。驚いて会話の輪に入り、

「そんな小さな荷物で、二〇〇ドルもするの?」

と尋ねると、店員は苦笑して僕の荷物を重量計に載せた。そして困った顔をしながら、三種類の輸送方法を説明して、

「一番安くても日本までだと六五一ドルだね」

といった。人間が片道飛行機に乗れそうな値段である。ちょっと考えさせてくれ、といったまま僕は荷物を引きずって、重いドアを開けて外に出た。仕方がない。重い荷物を抱えたまま僕は駅へと歩いて行った。

カリフォルニア・ゼファー

ユニオン駅には、かなり早めに到着した。実はサンフランシスコからワシントンDCへの移動の際、飛行機に乗りそこなって痛い目にあっていたからである。サンフランシスコ国際空港に着くと、わずか一〇分前に飛行機に載せる荷物検査が終わってしまい、出発前であってももう無理だと搭乗を断られた。だから今回は慎重に駅員に書類を見せ、何かすることはないか何度も確認してみたが、すでに乗車チェック済みだし、荷物も車内に自由に持ち込めるので、とくにすべき事前手続きはないという。

今日乗車するアムトラック（全米鉄道旅客公社）は、「カルフォルニア・ゼファー」と呼ばれるきわめて人気の高い観光列車である。シカゴからサンフランシスコまでを五一時間二〇分、つまり二泊三日かけて結ぶ。走行距離は四〇〇〇キロ近い。まさにアメリカ横断鉄道そのものであり、アメリカ内陸部をひた走る。だからアムトラック乗車専用のラウンジも快適なつくりになっていて、柔らかいソファーやパソコンを自由につかえるデスクが併設されている。果物や生野菜が軽食としてランチバイキングになっていて、飲み物も自由だ。車社会であり国内便の飛行機も十分に発達したアメリカでは、この列車は少し高級な旅を演出するためのものであり、駅での待ち時間もお客さま待遇というわけだ。

一三時一五分になると、シカゴ発サンフランシスコ行の列車に乗る者は入り口に集合せよ、とのアナウンスが入り続々と乗客が集まってくる。二泊三日の鉄道旅行を日曜日からはじめる客層は、やはり年齢が高めの夫婦が多いといった感じである。

まさに大型トラックといった感じの列車の前から三両目に乗り込んで、寝台車の自分の部屋につく。ここで二日間以上を過ごすのだから、靴を脱いで部屋に持ち込んだ荷物をひらき、それぞれ良さそうな場所に配置をした。ニックという名前のポーターが現われ、寝台車担当だと自己紹介したうえで、

「何か質問はないか？　ちなみに二両目がレストランで先頭車両が展望車になっている。それを下に降りればカフェになっているから、レストラン時間外はそこで休憩したり、軽食を買ってくれ」

といって足早に立ち去った。

定刻の二時きっかりに電車が発車すると、乗客たちもそれぞれの部屋に無事収まったらしく、一番奥の部屋である僕の周囲はしずかになった。一時間もすると、風景はアメリカの田舎そのものになった。『米欧回覧実記』には、アメリカには田園、すなわち田んぼが皆無だと書いてあったが、今、目の前にある風景も完全に穀倉地帯となっている。地平線の向こうまで遮るものがないためだろうか、車窓からは風力発電用の風車がゆっくりと動いているのが分かる。この風景がもたらす広大な感覚と、ドーク先生の自宅に招かれた日の道すがら、案内されたワシントンＤＣ郊外の街並みを思い出すにつけ、アメリカが完全な車社会であることが痛感された。アメリカは中心部が車社会であるばかりでなく、一歩郊外へ出れば、そこは一面、北海道の平原のようになっている。だが平原という日本の感覚が通用するのはＤＣ郊外までで、今見ている景色はそれをはるかに凌駕してしまっている。ほとんどこれは海原と呼んだ方があたっている。アメリカがフロンティアを開拓してはじまった国であることは誰でも知るが、今ようやく実感として分かった気がする。夕方の地平線に現われる車は、彼方にみえる船舶のようであり、時折現われてはまた消えていく。それは首都でみた交通戦争を思わせる車社会とは異なる、もう一つのアメリカの顔であり、むしろ「はじまりのアメリカ」はこういう顔をしていたのではないかと思わせるのである。隣家まで優に五〇〇メートルは離れているだろうこの場所に住む者たちの身体感覚は、いったいどのようなものなのだろうか。

シカゴをでて二時間半、午後一六時三五分に三つ目の停車駅ゲイルズバーグに到着する。比較的乗り込んでくる乗客も多く、なかには学生風の者も交じっている。都心部にでるための上京列車のようなものだろうか。学生旅行にしては、日本の「青春18きっぷ」のようなものはないから、かなり贅沢な旅ということになる。

夕食は、食堂車が一両しかない関係から五時半をはじまりに三〇分毎の入れ替え制である。ちょうど最初の夕食組で食堂車がごった返すころ、巨大な河を渡りはじめ列車は速度をゆるめた。地図でみると、どうやらこれがミシシッピ川らしく、イリノイ州からアイオワ州の州境を越えたことになる。しばらくして到着した駅名はバーリントン。この駅以後、オマハにむかう間、各駅に近づくと古さびたビルが並ぶ街並みがあらわれるのを除けば、はるか彼方まで草原がつづくことになる。風にうねる草原を、落陽の陽ざしが黄金色に染めていく夕刻はきわめて美しい。湿度の低いアメリカの空気に大麦畑は浮きたち、燦然と輝いて、列車は重い体で駆け抜けてゆく。ともあれ時間はきわめて緩やかに流れ、一八時過ぎにマウントプレザント、一九時にはオタンワの各駅に到着する。これ以降、目指す最初の大都市はオマハである。

全面ガラス張りの展望車に腰をおろしながら、同じ光景を、今から一五〇年ほど前の日本人たちはどう眺めたのだろうと僕は空想をめぐらした。体は大陸を横断しつつ、頭は時間をかけめぐり、遡っていく。明治の日本人はサンフランシスコからシカゴを経由してワシントンDCの東海岸へと向かったのに対し、今回僕は逆コースをたどる。一か月半かけた旅路をたった二日間で逆走することになるが、彼らの眼に映ったアメリカ内陸部を、僕の眼にも焼きつけようとしたのである。

むろん、久米邦武が『米欧回覧実記』で描く横断鉄道のコースと、現在のカリフォルニア・ゼファーのそれは違っている。たとえば、シカゴ・ユニオン駅を出発しオマハに到着後、カリフォルニア・ゼファーはゆるやかに南進し、リンカーン、マクックなどの各駅をたどってデンバー・ユニオン駅に到着する。それ以降、ソルトレイク・シティまでのロッキー山脈越えが待っているのだが、その際、現在ではコロラド州とユタ州を通過することになる。

一方、岩倉使節団一行の乗ったサンフランシスコ発の横断鉄道は、プラット川に沿ってコロンバス、ノースベンドといった北側を通ってオマハに入る。だからソルトレイク・シティ駅は当時も現在も到着する大きな町であるが、使節団はコロラド州のデンバーは通っていない。コロラドの北、ワイオミング州を通って東海岸をめざしたのである。

そのオマハに到着した際、久米邦武はロッキー山脈の荒野をとおってオマハに到着すると、ようやく人間臭がするようになったと書き記す。だがそれでもなお、オマハの市街地もとても寂しい。それは仕方ないことである。なぜなら、久米が通過する四〇年前には大都市シカゴですら、あるかないか分からないくらいだった。だからオマハより東はまるでロッキー山脈と同じように人影がないのだろう。でも今度は、久米が通過してから四〇年後には、きっとオマハも現在のシカゴのように都会になっているはずだ。荒野にも移民の運転する車が行き交うことになるだろう――。

如此キ地ヲ過テ、而後ニ益信ス、世界ノ大宝ハ、貨財ニ在スシテ、物力ニ在スコトヲ。

久米の筆は、アメリカ社会全体の批評に向かう。サンフランシスコやシカゴ、セントルイスなどで豪農・豪商がひしめきあう様子は、たしかに財力によるもののように思える。でも一方で、カリフォルニア州を含めてこれだけ広大で肥沃な土地を活用できていないのは、アメリカに「財力」ではなく「物力」が足りないからではないか。では「物力」とは何か。久米の批評眼は「人口」だと断定する。つまりアメリカに足りないのは人の数なのだ。今、アメリカはそのことに気づいていて、世界中から移民を招集している。ヨーロッパ各国からだけでも年間四〇万人を集めているのにまだ足りず、アフリカの黒人奴隷まで連れてきて国土開発を進めているのだ。

ではアメリカと比べたばあい、日本はどうだろうか。国の宝ともいえる人口だけ見れば、アメリカと同じ数がいる。建国の歴史は比べものにならないほど長く、土地の大きさは「百分ノ三ニ及はず」。にもかかわらず、アメリカよりはるかに国土開発は遅れ、上下を問わず国民が貧困にあえいでいる。これだけ時間があったのに、なぜなのか。久米は次のように記す。「蓋不教ノ民ハ使ヒ難ク、無能ノ民ハ用ヲナサス」だからであると。

たとえ人口が多かったとしても、一人ひとりにその力を発揮させなければ意味をなさない。アメリカの紳士は宗教に熱心であり、盛んに小学校を建設し、高尚の学問を後回しにして、普通の教育をほどこし流民や奴隷を啓発している。これが一〇年単位で発展をつづけ、鄙びた街が瞬く間に大都市に変貌するアメリカの国力の秘密なのである――。

オマハをめざす展望車の中で久米邦武とほぼ同じ場所を疾走しつつ、僕も久米と同じように日本文明の将来について思いを馳せている。

久米は日本は十分な人口がいるにもかかわらず、なぜ近代化で遅れをとっているのかの原因を教育に求めた。彼の分析によれば、それは学問に対する長年の誤解から生じている。日本では学問といえば高尚な空理か、文芸を指すと考え、せいぜい上流階級の教養かお稽古事と思われている。結果、実社会で必要な学問を些末なことと馬鹿にする傾向がある。一方で中流階級は金のことばかり考えていて、せいぜい「財力」

にしか興味がない。下層階級ともなれば、衣食足りれば十分で呼吸をしているようなものだ。こうした人たちがどれだけいたとしても、国家を富強にすることには役立たない。ぼんやりと二〇〇〇年の時を食いつぶしてきたのが日本人なのだ。そう久米は考えている。

つまり久米は、日常些末の学問ではなく、「普通ノ教育」を一人でも多くの日本人が身に着けることを求めているのだ。これは一つの文明論である。

以上が明治五年（一八七二）二月に出版された福澤諭吉「学問のすすめ　初編」から、どれだけ影響を受けた文明論なのか、詳細は分からない。だがオマハとシカゴを見聞した久米と、福澤諭吉の文明論はおどろく程同じ方向を指し

ロッキー山脈をぬって走るカリフォルニア・ゼファー

しめしている。福澤はここで学問を、儒学者などが従来重視してきた難解な古文を読むこと、和歌や詩文をつくるといった「世上に実のなき文学」ではないのだ、と強調する。今、必要な学問とは、「人間普通日用に近き実学」なのである。実学とは、具体的には手紙の書き方や算盤の稽古であり、地理や物理学のことをさしている。一国の自由と独立を守るためには、ぜひとも実学を学ぶことが必要だと説いたのだ。

彼らの言葉が全く観念的に聞こえないのは、現実との緊張関係が文章に溢れているからである。江藤淳が明治人にはあって、一回目のオリンピックをむかえる日本人から奪われているといった緊張感、個人と国家とのつよい結びつきは、久米がアイオワ州のトウモロコシについて語る言葉の中にも見て取れるのだ。

僕がはるか昔の日本人の足跡を追いかけ、その精神のドラマを追体験するためにこの列車に乗っている。そんなことなど、周囲の人々は誰も知らない。人々は思い思いの休暇を楽しんでいて、展望車の机にパソコンを持ち込んでいるエンジニアもいれば、ビール片手に物思いにふけっている眼鏡が似合う白人もいる。黙って読書にいそしむ夫婦もいれば、童顔で繊細そうな青年は、どうやら一人旅をしているらしい。思春期にどこか遠くへ行きたい衝動に駆られ鉄道旅行をすることに日米の違いはないらしい。

□
□
□

翌朝、うっすらと空がしらみはじめたのは、七時ごろのことである。意外に遅いなと考えて、そうか、アメリカは時差があるからシカゴ時間では七時過ぎのこの時計が、現地時間では六時なのだと気づく。DCからシカゴに移動する際、一時間調整をしたが、またここで一時間時計の針を回すことが必要で、サンフランシスコに着くと三時間の時差が発生する。夜明けから逃げるように走っているので、なかなか夜が明けてくれない。

日本の電車に比べ圧倒的に上下に揺れる車内は、寝ても疲れがとれない。個室に備え付けられたシャワーを浴びて、ぼんやりする頭を冷ましてから、昨晩歴史に思いを凝らしていた展望車にもう一度顔をだしてみる。数人の客がいて、外を眺めたり横になったりしている。寝台車でもきついのだから、座席で移動する人たちはさぞかし疲れることだろう。だからここで寝袋に潜り込んでいる人もいるわけだ。何をするでもない時間が、しずかに流れている。遠くを走る街灯の間を、木々が黒々と通り過ぎていく。

　昨日も思ったことだが、これは海だ。遠くを走る二台の車は、まるで水平線に沿って走る船のようである。走るのではなく、海上に佇んでいるようにみえる。朝食の席で知りあった夫婦は五人の子供を育てあげ、今回、夫婦でサンフランシスコやラスベガスまで一か月をかける大旅行をするのだという。海外旅行の経験はないものの、アメリカ国内はよく旅してきたそうだ。子供たちはフットボール好きで、写真を見せてくれたが、夫の体つきと同じように、とても体格のよい子供たちである。僕は自分の境遇と比較し、日本を思って少し寂しい気持ちになった。しかし湿った気持ちは、車内の雑踏も、また屋外の景色もあまりにも広大で乾燥していて続かない。

　朝食は玉ねぎ入りの卵焼きとベーコン、それにパンを注文し、婦人が分けてくれたホットケーキまで食べたので十二分な量だった。よく眠れたかと聞かれ、大丈夫だと答えたが、食事後ふたたび一時間ほど自室でうとうととして、起きだしたら九時半になっていた。

　展望車にいったがほぼ満席で、四人掛けのテーブルに無理やり入れてもらうことにした。一〇時半過ぎになると、車内アナウンスが、いよいよコロラド州の本格的山間部にさしかかったことを知らせた。ロッキー山脈は乾燥した草原と灌木がどこまでもうねりながらつづき、後続車両を引きながら、ゼファー号はゆっくりと高度をあげていく。高度を増した車窓から見おろすかたちで、今来た線路を見てみると、山裾の向こうは、はるか地平線まで一切遮るものがない。朝のひかりは一面の平原を照らしだし、左手には湖面が見え、その湖面めざして一筋の道路が伸びていて、コガネムシのように光った小さな車たちが這い登る。高木がないし、草木もまばらなので視界を遮るものがない。

「これから四三のトンネルをくぐります」

と放送が入ると、いよいよ頂上付近、一番高い場所を目指していく。こうした光景を見ていると、アメリカは広大な草原の海の中に、いくつもの都市が浮かんでいるように思え、各州の独立した権限が強いという教科書で学ぶ事実が当然のことだと分かる。一一時すぎにようやく山を登り終えて、裾野の街フレーザー駅につく。列車はそのままコロラド川を渡って、ユタ州を走る。ソルトレイク・シティまではまだかなりの距離だ。

何かこの国の自然は、日本のそれとは異なり、地球が誕生したときがそのまま剥き出しであるような感じがする。岩肌の地層が赤茶けているそのうえに、黄土色が堆積している。あまり栄養が豊富とは思えない岩肌に草がはいつくばり、そこをトラックのような大きな体をした車体が通り過ぎてゆく。一方、硫黄島の記念碑を訪れたことで分かったのは、この国はいまだに戦争中であるということだった。兵士が戦いによって犠牲になることは日常に繰り込まれているのであって、シカゴでは博物館の入り口に「銃お断り」のシールが貼られていて驚かされたこともあったのである。

つまり、アメリカという国では、地球のなまの姿と、人間の生死のなまなましい境目が剥き出しのまま存在し、現在を取り囲んでいる。日本のように死はジメジメした感触をもっておらず、もっと直截にアメリカ人の前に姿を現わしている。日本で地方のローカル線に乗っていると、その風景は一面の緑、つまり樹林帯というイメージがあるだろう。しかしアメリカのばあい、そのイメージは岩である。生命の息吹に日本が満ちているのに対して、アメリカの国土は逆に水のイメージが薄く、したがって生命の存在感が希薄である。

よくアメリカの大学では構内にリスがいたりして、自然が豊かなイメージがあるが、それは都市部の郊外だからにすぎない。内陸に入り、本当の「自然」そのままの世界に放り出されてみると、大地からは豊穣な生命の声が聞こえてこないのである。こうした「自然」に対し、アメリカ人はいまだに人間の痕跡、つまり歴史を刻みつけられていないように見える。入植して以来のアメリカの歴史は、この荒野には未だに爪跡を残せていないようだ。だからゼファー号の旅路で歴史に思いを致すのは最も難しい行為である。しかし『米欧回覧実記』のおかげで、僕はうっすらと堆積した歴史の塵のようなものを感じとり、何とか明治時代の旅路に自分を重ねることができた。

さすがに二泊三日の旅も終盤になると、車内の空気にも疲れが見えた。食堂車のまるまると太った黒人職員だけが、休み時間に大いに歓談している。乗客の唯一の楽しみは、かくして食

カリフォルニア・ゼファーの車窓を過ぎるアメリカの荒野

事時ということになった。僕は一九時半の回に参加し、昨晩と同じくステーキとライス、そしてインゲンのゆでたものを注文した。今日は酒を断ち、アイスティーと食後のオレンジジュースも頼んでおいた。食事の時間は僕にとって、貴重な英会話のレッスンの時間でもある。毎回、同席する人が違うのも、いろいろな英語に接する機会となった。

それにしても、今回の旅で感じたのは、「いろいろな英語」があるという実感である。恐らくは鼻の構造からであろう、白人と黒人、ヒスパニックとアジア系で英語の発音は根本的にちがう。だから「正しい」英語など存在しない。日本人の下手くそな英語もまた、一つのあり方として認められてしまう。最初、日本人にみえた人物は、その発音から日本人以外のアジア系だと分かったが、聞いてみると台湾人で、六年間かけてニューヨークの大学で博士号を取ったという。彼の妻もまた台湾人でアメリカの大学を卒業したあと、職を求めて失敗し、修士号をとってからカリフォルニアで職が決まったらしい。だから今回、彼は妻のもとへ向かっている。彼自身は来週から、職探しをする。サンフランシスコに出られれば、どこでも住む場所にはこだわらない。台湾人の英語は文法的に正確で、しかもとても聞きやすい。恐らく顔の骨格が似ているからではないかと思う。

食事の牛肉は、十分といってよい程質の高いものだったが、アメリカの食事の基本がステーキとパンであることに変わりはない。たとえ品質が良いとしても、さすがに一か月にわたる肉食生活は、不惑を越えた肉体にはこたえた。さらに繊細な日本人には少し辛い狭く汚いシャワールームと、上下に激しく揺れる車体が、蓄積した疲労の回復を遅らせた。

今回の旅路の最後のサンフランシスコを前にして、僕の体が悲鳴をあげはじめていた。

最後のサンフランシスコ

五〇時間をこえる鉄道の旅は、ドーク教授の冗談どおり、新幹線に乗りなれた身にはかなりこたえる旅路となった。とりわけカリフォルニアに入ったあたりから、車内冷房の寒さから逃げだすことができず、持病の咳喘息が悪化してしまった。以前、大学院生としてフランスに一年間留学した折に、友人からの指摘で気づいたのだが、欧米人と日本人は基礎体温に差があるらしい。つまり平熱が日本人の方が一度ほど低いのだ。だからフランス滞在中、真冬なのに寮のヒーターの効きが悪いと感じ、真夏に冷房が寒すぎるだろうと文句といっていたのには理由があったわけだ。それを思い出し、なるほどだからここまで車内冷房が寒いのかと納得しても、体はどうしようもない。

自室で寝転んでいると、はげしい咳がでる。座っている方がまだましで、肘をついて横になると一番ひどいので本を読むわけにもいかない。辟易して食堂車をとおり、展望車までいって座っていても、咳がでると周囲の目を気にしてしまい、さらに冷房が直接吹きつけてきて、かえって悪化するような気がする。さすがに二日連続で不規則に揺れる鉄道は、四〇歳を越えた体にはきつかった。

サクラメントに到着する際には、何度もアナウンスが入り、まるでもう少しで終点といわんばかりだったのに、サクラメントをでてからも一向に次の停車駅エメリービルにたどり着かない。アメリカの鉄道の最大の欠点は乗り継ぎの悪さで、サンフランシスコという終点駅があるわけではない。エメリービル駅が終点で、そこからさらに小一時間（！）バスに乗って市街中心部へと入るのである。東京の交通システムに慣れ切った僕は、この先を思うと心が暗くなった。

とりたてて放送もなく、すっと終点に着いた。車中で親しくなった台湾系の学生やそのほかの若者は、どんどんタクシーやレンタカーで消えてゆく。バスに乗ったのは主に初老の夫婦たちで、小柄な中華系の運転手が担当なのだが、彼の客あしらいがまた猛烈に悪い。

「どこまでいくんだ」

「逆にどこを通過していくか教えてほしい。16番街ミッション駅にできるだけアクセスしやすい場所がいいんだ。だから地下鉄に近い場所を教えてほしい」

「はやく荷物を運べ」

「だから、どこで降りればいいのか、教えてほしいんだよ」

全く相手にされず無視をつづけるので「終点まで」というと納得して切符を切った。ところがあいにく、ダウンタウンは途中下車せねばならないらしく、終点は港であった。気づいたときにはもう遅く、中心部を横断し、どんどん港まで走ってしまった。

この体調の悪い時に、最悪だ。

周囲は観光気分だが、こちらは一か月分の荷物を抱えた病身である。タクシーを拾ったら、今度は一転して非常にやさしい運転手にあたった。行先のホテルを告げると、すぐに出発してくれた。道々、先ほどのバス運転手の非礼を愚痴ると、「なぜなんだろうねえ」と首を傾げながらやさしく微笑んでくれた。

16番街ミッション駅近くのホテルに着いた時には、すでに一九時近くになっていた。

タクシー代二〇ドルに、荷物まで運び入れてくれたお礼だといってチップを多めに渡すと運転手は胸に手をあてて感謝して立ち去っていった。ほっとした気分でタクシーを降りたので、ホテルにチェックインし、かなり殺伐としたどぎつい水色の階段を三階まであがり部屋に入ったときには、この後起きることなど想像もしていなかった。

安普請のホテルであることはすぐに分かった。三階までのエレベーターがないこと、カードで前金制が当然のアメリカで一切、前金を払わなくてよかったこと、狭い部屋には机はもちろん、湯船もなくシャワーの出がすこぶる悪いこと、ここまで分かっていてもなお、僕は舌打ちくらいで済ましていた。大学が指定した旅行業者に、

サンフランシスコ、最後の安ホテル

あれほど机付きの部屋を頼んでおいたのに、との恨みがましい思いが頭の隅をかすめたものの、まさか身の危険が及ぶほどのホテルだとは気づかずにいた。

だが、網戸の破れた窓から見える向かいのビルが、ホテル入り口と正反対の道に面していて、あまりに落書きが酷いことに気づくと、ひょっとしてまずいホテルに宿泊したのではないかという不安が頭をよぎり始めた。出の悪いシャワーで体を温め、食事を確保しようと二軒隣にある店に入り、そこでメキシコ人の若者と話しているあたりで、不安は確信に変わった。一二年前にメキシコから来たという若者は、とても気さくで感じのよい青年である。だがホテルの受付や階段ですれ違った客をふくめ、いわゆるアメリカ人、移民ではない白人に全く会っていないことに気づいたのである。温めてもらったパイ生地に肉を包んだ名称不明の食べ物をさげて、周囲を散歩した感じでも、メキシコの匂いがする店構えが多いことに気づかされた。

翌朝にかけて、咳喘息の発作がはげしく、僕はネットで見つけた医者に朝九時二〇分の予約を入れた。歩いて一五分くらいの場所、サンフランシスコのメイン通りのマーケット通り沿いにある病院である。

時間通りに病院に行き、事情を説明すると、受付の女性がパソコンをもってきて、ここに必要事項を入力し質問に答えてくれという。アレルギーはあるかタバコは吸うかといった質問を入力すると、別室に案内され、血圧などを看護師が測定してくれた。熱は三七度で問題ない、血圧も異常なし。ただ血液中の酸素濃度が低いね、といわれた。

アメリカの町医者の診療の仕方は、日本とは少し違うのかもしれない。日本のように医者の座っている部屋に患者が行って、さらに検査室を行ったり来たりするのではなく、測定部屋に助手を連れた医者が入ってきて、立ったまま診察する。こちらは部屋の真ん中の椅子に座ったまま尋問され、それを助手がこれまた立ったままでどんどん入力していく。僕の病歴の説明をひととおり聞き終えた医者は、「保険はあるなら、レントゲンを撮る」といって、いったん立ち去った。すると今度は、レントゲン技師と思しき女性が現われ、別室に連れて行かれた。ここは日本と同様、腕を持ち上げたり、大きく息を吸ったりしてレントゲンをとる。また尋問室に戻され、一五分ほど待っていると、医者が入ってきて肺炎等の問題は何もない、ただ明日のフライトに不安を感じるだろうから、薬を二種類渡すといって診察を終えた。

少し黒い肌をしたインド系らしきこの女医は、見るからに聡明そうな目つきをしている。子供のころから利発だったのだろう。しっかり者であることは一目でわかる。一方、受付の女性はとてもやさしい雰囲気で、入っていくと安心感を与えてくれ、また保険についてもカードでなら決済できるが、現金のばあいは本国に帰ってからなど、細かく丁寧に説明してくれた。昨晩のホテルへの不信感と不安から解放され、ほっとした僕は思わず人懐こくなり、

「明日長時間のフライトがあるから少し不安だったが、安心した。丁寧に説明してくれてありがとう」

というと、にこりと笑って対応してくれた。

さて、この医者でのやりとりは、いわばサンフランシスコの表通りの顔である。だが、しばしば聞くように、都会は道を一本入るだけで街の表情ががらりと変わる。病院で気をよくした僕は、まだ午前中だと思いなおし散歩をはじめた。今回のアメリカ滞在の初日から、一週間泊った中心部へ行ってみようと思い立った。この一か月間を心の中でまとめておこうと、少しばかり感傷的な気分になっていた。

ところが16番街ミッション駅までたどり着いた時、その街の表情に驚かされた。地下鉄出口の周囲は小さな公園のようになっているのだが、中心部からわずか数駅であ

るのにもかかわらず、そこはガラの悪い黒人と移民らしき人たちが無秩序に入り乱れていた。酒なのかドラッグなのか、ある者は裸体をさらしてラップにあわせて踊り狂い、ある者は金をせがんで紙コップをこちらにむけて振っている。駅はスプレーで「ようこそ！　16番街ミッション駅へ！」と嫌らしくくねった文字で落書きされている。公園のすぐ隣にあるフードマーケットの前には、物乞いの黒人たちが一五人くらい立っていて、昼から酒を飲んでいる。当然、見慣れない東洋人である僕は一声かけられたが無視して、ホテルに戻るために右折して歩いた。道々、雑多な匂いがする雑然とした街をぬけて部屋に入ったころには、医者での落ち着いた気分などすっかり忘れてしまっていた。

そしてこの日は、このままでは終わらなかったのだ。とんでもない夜が待っていた。ベッドメイキングがしてないことなど、もはや驚きもしなかった。明日夕方のフライトの際、咳の発作が起こらないかどうかの方が心配だった。昼間に歩きすぎたせいか、夜になると急激に熱があがり、咳のつらさに倦怠感が加わった。日本から持ち込んでいたロキソニンを飲んでウトウトし始めたときである。第一波が襲ってきた。

大きな悲鳴で目が覚めた。

僕の部屋が表通りの反対側で、裏通りの落書きだらけのビルに面していたことは先に書いた。ホテルが安普請なうえに、部屋が蒸して窓を開けていたので、三階からも女性が襲われていることが手に取るようにわかる。汚い言葉を吐きながら、女性は必死で抵抗し身をよじっている。どうやらうまく逃げ出せたらしく、一目散に女性は逃げていった。僕は自分が窓を開けたまま寝ていた不用心を恥じ、静かに窓をしめてブラインドを下ろした。ついたままの明かりも消した。これがこれから来る第二波のためには、よかったのだと今でも思っている。

午前三時ごろのことである。いきなり窓をがたつかせる音で目が覚めた。自分の部屋の窓ではない。だが今度もまた直下の一階がやられている。ものすごく野太い男性の声で、「このくそ野郎、犯すぞ！　窓を開けろ！」とひたすら叫んでいる。喧嘩なのか強盗なのか分からないが、あまりの迫力のある声に圧倒される。もし強盗だとしても隠れて入るのではなく、堂々威嚇して侵入しようとしている。たっぷり三〇分以上、騒ぎ散らしている間、僕はベッドから跳ね起きて明日のために用意した旅行鞄をひきずって、いったんは一番奥のトイレに隠れたものの、思い直して入り口まで行き鍵を静かに開けた。

もし銃を使うのなら、一番奥でもトイレまで銃弾が貫通してくるかもしれない。旅行鞄の陰に身を潜めて移動したのは、むろん防護のためである。だがもし警察がきて銃撃戦になったばあい、鞄を盾に一気に入り口方面に走り、つまりホテルの正面口から走って逃げようと考えたのである。トイレがいいか、走って逃げるのが正解か――身を潜めて声と音に全神経を集中させ、考える時間がつづいた。ようやく遠くの方からパトカーのサイレンが聞こえてきて近くで止まった。男性同士の罵声の飛ばしあいがはじまった。警察が来ていたとしても、むしろ怖い。逆上した男性との発砲戦が始まる可能性があるからだ。

アメリカが銃社会である、という言葉が身にしみた。この一か月間ですでに二度、銃にまつわる体験をしていた。一度目が同じサンフランシスコで、公立図書館で資料探しをした翌日、朝のテレビが前日歩いた道で銃撃戦があったことを伝えていたのは、すでに書いた通りである。シカゴの博物館では、銃持ち込み禁止マークが貼ってあった。これも前述の通りだ。

そして今、僕は三度同じ目にあっている。警察が来ても安心できない社会とは、いったい何なのだろう。治安維持の手段が、いきなり銃＝死に直結してしまうアメリカに僕は戸惑った。背中には咳喘息による微熱とは全くちがう冷や汗が、幾筋も流れていた——緊張がほぐれたのは、夜明け前のころである。

さすがにこれは旅行代理店に事件を報告しておくべきだと考えた。誰かにこの状況を聞いてほしいというのが、正直な気持ちだったのかもしれない。命にかかわるような事件が、一晩に二度も起きたのだから。

翌日、どのように空港にたどり着き、機内に座ったのか覚えていない。一度利用している空港ということもあって、咳止めを飲んでマスクを買い求め、カフェにはいった時に、心底ほっとしたことを覚えている。人にはどこか「自分の故郷に近い」ということが、安心感を与えるらしい。少し大げさにいえば、戦時中、南方方面での戦闘から帰ってきた戦艦の乗組員たちが、四国の山河を見た際に、故郷は北の方なのになぜかほっとしたという話を読んだことがある。その意味からいえば、日本に近い西海岸の一度使ったことがある空港に着いただけで、僕の中に安堵が生まれたのかもしれない。

こうして、僕の短期アメリカ滞在は終わった。大統領御用達のレストランから薬物中毒者の深夜の怒鳴り声にいたるまで、すべてが僕という鏡に映ったアメリカの姿である。多様な人種が犇めき、巨大なエネルギーに満ちたこの国に、僕らは一五〇年以上、翻弄されつづけている。明治以来、日本人の眼に映ったアメリカを、僕はなんとか駆け足で粗描したにすぎない。

あとがき

今や世界の時間は、真二つに分断された。

もちろん新型コロナウイルス以前と以後に、である。この「分断」は、僕に眩暈を起こさせるのに十分な衝撃であった。なぜなら本書を書きはじめた目的が、「過去の時間」を取り戻すためだったからである。

プロローグに書いたように、今日、一か月半程度のアメリカ滞在は、なんらめずらしい旅ではない。滞在先もサンフランシスコとワシントンDCが中心であり、特筆すべきは東海岸から西海岸までぶっ通しで大陸横断鉄道の旅をしたことくらいだろう。

だが、大学から与えられた短期滞在先にアメリカを選んだのには、それなりの意図があった。僕は研究者として、幕末や敗戦時に書かれたアメリカに関する本をかなりの数、ひも解いてきたが、そこで出逢う光景をまじかに見たり、また追体験したいと思ったのである。この本に他の旅行記と差があるとすれば、単なる空間移動をしたのではなく、時間をさかのぼることを意図した点にある。

僕らが日々の生活で、日本の歴史に思いをはせることは、必ずしも自明でなくなっている。精神的には、アメリカ旅行に行くよりも、自国の歴史は「遠い」場所になってしまっている。今回のアメリカ滞在で期待していたのは、空間を移動することで時間を取り戻すこと、自らの血のなかを歴史が駆けめぐっているという実感の恢復である。

アメリカは肌の色からお尻のかたちにいたるまで、あまりにも日本と異なる人種で構成された国家である。生活の中に銃が隅々まで行き渡る国で、僕はヒスパニックが集住する街のホテルに身を寄せ、一晩で強姦事件と強盗事件を目撃することになった。アメリカは、生々しく肉感的な弾力をもって、近づこうとする僕を押し返してきた。その体臭と野太い声が、かえって「僕」の輪郭を浮かび上がらせる。ようやく、大きさもかたちも異なる「アメリカ」と「日本」という二つの身体がはっきりと姿を現わす。

だが普段の生活では、今の日本からは「日本」が消えている。したがって「他者」としてのアメリカもまた、存在感が希薄である。親米であれ反米であれ、僕らの多くは、アメリカが日本に関心をもち、「見ている」ことを前提にしている。一九九〇年代以降のさまざまな政策は、アメリカ型のライフスタイルを日本に当てはめたものであり、日米は癒着していると思い込み、両国の違いへの感度が鈍っているのである。日本はアメリカ発のグローバル化の波に呑み込まれ、進歩の風をはらんで空高く舞い上がっているのだ。

だがそれで本当に良いのか？

僕は二国の違いを身体として感じたかったし、このままアメリカの後を追いかけていればいいのか、それで本当に日本の未来像は描けるのかを確かめたかったのだ。

たとえばドイツの哲学者、ヴァルター・ベンヤミンは服毒自殺をする前年に、歴史をめぐって次のように言っている。

パウル・クレーの絵「新しい天使」は、ベンヤミンが最後まで大切にもっていたものである。そこには、廃墟を凝視する天使が描かれている。かれの翼は大きく広げられていて、顔は過去の方をむいている。単なる出来事や事件の羅列が歴史なのではない。天使は歴史の連なりに「破局」を見ているのではないか。天使は廃墟のうえに廃墟を積み重ね、それを僕たちの鼻先につきつけ、これこそが本物の歴史だとせまってくるように思える——。

たぶんかれはそこに滞留して、死者たちを目覚めさせ、破壊されたものを寄せあつめて組み立てたいのだろうが、しかし楽園から吹いてくる強風がかれの翼にはらまれるばかりか、その風のいきおいが激しいので、かれはもう翼を閉じることができない……ぼくらが進歩と呼ぶものは、〈この〉強風なのだ。(「歴史の概念について」)

天使には瓦礫の山が見えている。天使はその壊れたものを集めて作り直したいのだが、かれの翼を「進歩」の強風がとらえ、押し流してしまうのだ。

今日、僕らが進歩の強風に絡めとられているのは言うまでもない。進歩とは前進することを絶対善とみなす立場であり、過去を捨て未来を重視する。こんなに急いでヒト・モノ・カネが動いている時代に、何を振り返ってばかりいるのだ。前へ進め、もっと早く。

問題は、こうした態度を「おかしい」と指摘する天使が日本にはいないということである。東日本大震災で、あれだけの瓦礫の山を見たにもかかわらず、僕らは過去を省みることなく、ふたたび経済成長を求めて進歩のレールの上を滑走しつづけてきた。

そして今や、コロナウイルスによって世界の時間は真二つに分断された。世界大に拡散する新型コロナウイルスによって、グローバル化は突如、停止を告げられたのである。東京に住む者ならば、人影もまばらな大都会のビル群を見て、ベンヤミンの廃墟を思わない人はいないはずだ。そのとき僕らは、天使になって、過去へ眼をむけねばならないのである。必死に翼を絞って、風を避け、「歴史」を取り戻さねばならないのだ。

アメリカの喧騒の中に、かつての日本人が残した精神の痕跡をさがしだし、小さな瓦礫を積むように描いたのが、この『鏡の中のアメリカ』に他ならない。

足立恵美さんとは二度目の仕事である。丁寧でおだやかな編集は、僕の文体にも影響しているはずである。また装丁は芦澤泰偉さんにお願いした。広大な大地を駆け抜ける爽快感を放つような装丁は、若い読者に届くことを願ってのものである。両者への謝辞をもって擱筆したいと思う。

令和二年　初秋

先崎　彰容

先崎彰容 せんざき・あきなか

1975年東京都生まれ。東京大学文学部倫理学科卒業。東北大学大学院文学研究科日本思想史専攻博士課程単位取得修了。フランス社会科学高等研究院に留学。文学博士。日本大学危機管理学部教授。専攻は近代日本思想史・日本倫理思想史。主な著書に『高山樗牛――美とナショナリズム』(論創社)、『ナショナリズムの復権』(ちくま新書)、『違和感の正体』『バッシング論』(ともに新潮新書)、『未完の西郷隆盛――日本人はなぜ論じ続けるのか』(新潮選書)、『維新と敗戦――学びなおし近代日本思想史』(晶文社)、『吉本隆明「共同幻想論」』(NHK出版・NHK100de名著)、現代語訳と解説に福澤諭吉『文明論之概略』(ビギナーズ日本の思想・角川ソフィア文庫) などがある。

鏡の中のアメリカ——分断社会に映る日本の自画像

2020年11月12日　第1版第1刷発行

著者　　先崎彰容

発行所　株式会社亜紀書房
〒101-0051 東京都千代田区神田神保町 1-32
TEL 03-5280-0261（代表）03-5280-0269（編集）
http://www.akishobo.com/
振替　00100-9-144037

印刷・製本　株式会社トライ
http://www.try-sky.com/

Printed in Japan
ISBN978-4-7505-1672-1　C0021